ESPAÑOL SIN FRONTERAS
2

LIBRO DEL ALUMNO
NIVEL INTERMEDIO

Jesús Sánchez Lobato
Concha Moreno García
Isabel Santos Gargallo

SGEL

SOCIEDAD GENERAL ESPAÑOLA DE LIBRERÍA, S.A.

Primera edición, 1998

Produce SGEL - Educación
Avda. Valdelaparra, 29.
28108 ALCOBENDAS (MADRID)

© Jesús Sánchez Lobato
   Concha Moreno García
   Isabel Santos Gargallo

© Sociedad General Española de Librería, S. A., 1998
   Avda. Valdelaparra, 29. 28108 ALCOBENDAS (MADRID)

Cubierta: Carla Esteban.
Maquetación: Susana Belmonte y Óscar Belmonte.
Dibujos: Carlos Molinos
Fotos: Agencia EFE, INCOLOR, INDEX,
       Archivo SGEL, FOTOTECA STONE.

ISBN: 84-7143-698-1
Depósito legal: M.15.205-1998
Printed in Spain - Impreso en España.

Composición: Susana Belmonte y Óscar Belmonte.
Fotomecánica: Negami, S.L.
Impresión: Gráficas Peñalara, S.A.
Encuadernación: Rústica Hilo, S.L.

Este nuevo método para extranjeros está dirigido a adultos, universitarios y profesionales, que se acercan por vez primera a la lengua y cultura españolas. Es un método ágil y científicamente graduado.

Consta de tres niveles: elemental, medio y superior.

La doble consideración de la lengua como sistema y como instrumento de comunicación nos ha llevado a dar prioridad compartida a los contenidos gramaticales y funcionales. Por ello, hemos perseguido un equilibrio perfecto, pocas veces conseguido en los métodos de español, mediante la integración rigurosa y progresiva de dos componentes:
- los elementos gramaticales y léxicos, y su empleo en situaciones concretas de comunicación.
- los elementos funcionales necesarios para el desarrollo de la competencia comunicativa.

Por esta razón, podemos decir que Español sin fronteras es un método a la vez comunicativo y gramatical, que utiliza modelos de lengua auténticos en contextos reales. Para cada área temática, además del léxico estándar, se presentan las variantes hispanoamericanas más frecuentes, con indicación del país o países de origen.

En este método se han tenido en cuenta sugerencias y aportaciones de profesores con gran experiencia en la enseñanza del español. Los problemas del aprendizaje del alumno extranjero constituyen el punto de partida de la progresión didáctica de Español sin fronteras.

CONTENIDOS

UNIDAD ÁREA TEMÁTICA	FUNCIONES	GRAMÁTICA	VOCABULARIO	SECCIÓN CULTURAL
UNIDAD 1 *¿QUÉ DICES?*	Transmitir lo dicho por otro. Hacer referencia a lo escrito.	*Dice que / ha dicho que* + INDICATIVO. Pronombres OD y OI. *Ir / Venir; Traer / Llevar;* *Desde, hasta, de, a.*	La prensa; los periódicos hispanos. Secciones de un periódico. Titulares de prensa.	Spanglish y ciberspanglish.
UNIDAD 2 *RECUERDOS*	Narrar, describir acciones pasadas.	Revisión pretéritos. Pretéritos irregulares. Pluscuamperfecto.	Viajes. Ciudades españolas.	Escenas de cine mudo.
UNIDAD 3 *¡NO TE PONGAS ASÍ!*	Expresar prohibición. Expresar consejo. Justificar prohibiciones, mandatos y deseos.	IMPERATIVO negativo. Presente de SUBJUNTIVO con valor de IMPERATIVO. *No* + OI + OD. *Que* + INDICATIVO.	Coloquialismos estudiantiles de aquí y allá.	Cómo son los jóvenes españoles de hoy.
UNIDAD 4 *¡OJALÁ!*	Expresar deseo. Expresar probabilidad. Expresar indiferencia.	Presente de SUBJUNTIVO. Verbos irregulares. *Ojalá* + SUBJUNTIVO. *Que* + SUBJUNTIVO. *Cómo, cuando, donde...* quieras.	Informática.	Ojalá que llueva café en el campo.
UNIDAD 5	*unidad de repaso*			

UNIDAD ÁREA TEMÁTICA	FUNCIONES	GRAMÁTICA	VOCABULARIO	SECCIÓN CULTURAL
UNIDAD 6 YO CREO, TÚ CREES…	Opinar y valorar. Añadir un punto de vista. Asegurar. Realizar preguntas retóricas.	Verbos de entendimiento, percepción y lengua + INDICATIVO / SUBJUNTIVO. *Ser / parecer* + *evidente, seguro*, etcétera. *Estar* + *claro / visto…* *Decir, sentir.* *¿No crees que* + INDICATIVO?	La justicia. Las enfermedades.	Defensas mentales contra la enfermedad.
UNIDAD 7 ¡QUÉ RARO QUE ESTÉ CERRADO!	Expresar preferencias, gustos, pena, enfado, frustración. Valorar y opinar. Expresar sorpresa. Expresar aburrimiento.	Verbos de sentimiento + INFINITIVO / SUBJUNTIVO. *Ser / estar / parecer* + adjetivo / sustantivo + INFINITIVO / SUBJUNTIVO. Preposiciones.	Coloquialismos juveniles. La tuna y sus canciones.	Fonseca.
UNIDAD 8 ¡TE ACONSEJO QUE VAYAS EN METRO!	Pedir y dar consejos. Recomendar.	Verbos de influencia + *que* + SUBJUNTIVO. *Yo, en tu lugar,* + CONDICIONAL. Concordancia de tiempos verbales. Imperfecto de SUBJUNTIVO. Imperfectos irregulares.	La negación. Ciudades del mundo hispano. En el banco.	Bogotá, Buenos Aires, La Habana.
UNIDAD 9 BUSCAMOS A ALGUIEN QUE TENGA INICIATIVA	Definir objetos. Describir lo que conocemos. Describir lo que buscamos, deseamos o no conocemos.	V(1) + NOMBRE + V(2) + INDICATIVO / SUBJUNTIVO. Relativos. *Ser / estar.*	Adjetivos para describir el carácter. Estados de ánimo. *Ponerse* + adjetivo. Agencia de viajes. Agencia inmobiliaria.	El teletrabajo.
UNIDAD 10	*unidad de repaso*			

UNIDAD ÁREA TEMÁTICA	FUNCIONES	GRAMÁTICA	VOCABULARIO	SECCIÓN CULTURAL
UNIDAD 11 **CUANDO TENGA TIEMPO**	Hablar del futuro en contraste con el presente (las costumbres) y el pasado. Hacer planes y proyectos. Expresar finalidad y ponerla en relación con los planes de futuro.	Cuando + SUBJUNTIVO en contraste con INDICATIVO. Conjunciones y marcadores temporales. Algunas preposiciones que indican tiempo. *Para / para que.*	Tipos de viajeros españoles. Particularidades de Argentina y Paraguay.	El Perú mágico. Los glaciares de Chile. La Venezuela Indígena.
UNIDAD 12 **¿CÓMO SERÍA SI NO FUERA...?**	Expresar condiciones posibles e imposibles. Expresar causa y justificación. Corregir. Ponerse en lugar de otro.	Frases condicionales con *si* + INDICATIVO / SUBJUNTIVO. Otras expresiones para la condición. Diferentes formas gramaticales para la expresión de la causa.	El cuidado de nuestras ciudades. Acento mexicano.	El Amazonas es más largo.
UNIDAD 13 **¡OTRA VEZ LOS ANUNCIOS!**	Expresar concesión. Expresar consecuencia. Contrastar y corregir afirmaciones.	*Aunque* + INDICATIVO / SUBJUNTIVO. Otras expresiones de concesión: futuro + *pero*. Conjunciones consecutivas: *pero, sin embargo / sino*. Preposiciones.	Los aztecas y sus remedios: las algas y el cacao.	La spirulina. El cacao.
UNIDAD 14 **A MÍ ME LO CONTARON**	Transmitir las palabras de otros y lo escrito por otros con cambio de tiempo y lugar. Mostrar inseguridad en la transmisión de un mensaje.	Estilo indirecto con el verbo introductor en pasado. Transformaciones temporales.	Sinónimos de *decir*.	Camilo José Cela y Gabriel García Márquez atacan a los que quieren constreñir el idioma.
UNIDAD 15	*unidad de repaso*			

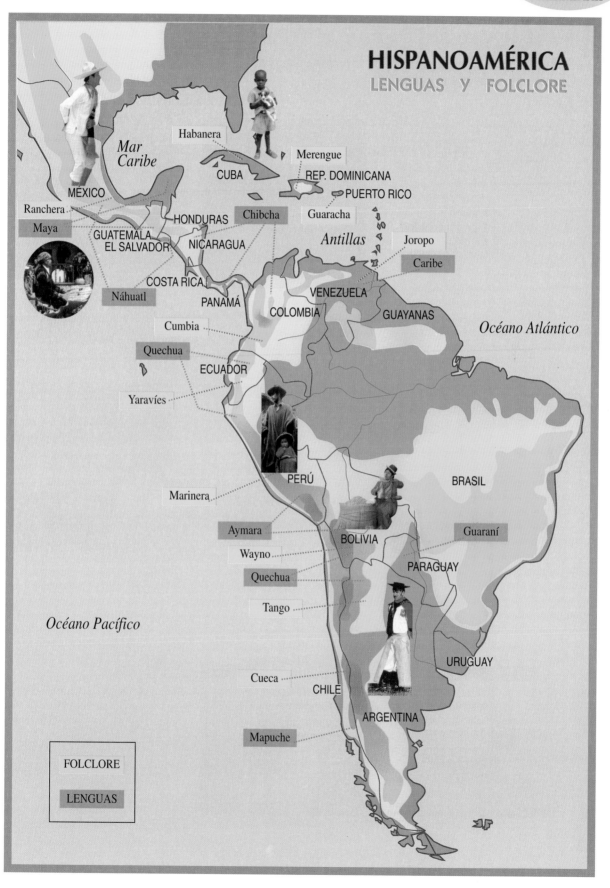

HISPANOAMÉRICA
LENGUAS Y FOLCLORE

Mar
Caribe

Habanera

Merengue

CUBA

REP. DOMINICANA

MÉXICO

PUERTO RICO

Ranchera

Chibcha

Guaracha

Maya

HONDURAS

GUATEMALA
EL SALVADOR

NICARAGUA

Antillas

Joropo

Caribe

COSTA RICA

VENEZUELA

Náhuatl

PANAMÁ

COLOMBIA

GUAYANAS

Océano Atlántico

Cumbia

Quechua

ECUADOR

Yaravíes

PERÚ

BRASIL

Marinera

Aymara

Guaraní

BOLIVIA

Wayno

Quechua

PARAGUAY

Tango

URUGUAY

Océano Pacífico

Cueca

CHILE

ARGENTINA

Mapuche

FOLCLORE

LENGUAS

LENGUAS Y FOLCLORE DE HISPANOAMÉRICA

¿Eres capaz de relacionar estos idiomas y estas músicas típicas con sus respectivos países?

LENGUA

....

PAÍS

....

MÚSICA

....

MÚSICA

....

MÚSICA

....

PAÍS

....

PAÍS

....

LENGUA

....

LENGUA

....

Rellena esta ficha con los datos siguientes:

Tu color preferido:

Tu signo del zodíaco:

Una afición:

Dos rasgos de tu carácter:

Dos países que conoces:

Un detalle muy personal:

**Busca entre tus compañeros(as)
a alguien que tenga tres características
en común contigo. Después siéntate
a su lado y pregúntale más cosas sobre él / ella.**

**En parejas, completad
el cuestionario siguiente,
preguntando a vuestro compañero(a).
Una vez completo presentádselo a los demás.**

¿Cómo te llamas? ....

¿De dónde eres? ....

¿Dónde vives en tu país, y aquí? ....

¿A qué te dedicas? (estudias, trabajas) ....

¿Vives solo(a), o con tus padres? ....

¿Qué te gusta hacer en tu tiempo libre? ....

¿Tienes hermanos? ¿Cuántos? ....

¿Cuánto tiempo has estudiado español? ....

¿Qué te parece España? ....

¿Por qué estudias español? ....

¿Eres capaz de...?

¿Eres capaz de situar estas frases?

– ¿Le digo algo de tu parte? ☐
– ¿Qué periódico sueles comprar? ☐
– ¿Algún recado para mí? ☐
– Echa un vistazo al pronóstico meteorológico. ☐

Pretexto

EN CASA.

Ring, ring…

△ ¿Sí? ¿Dígame?

○ ¡Hola! ¿Está Susana?

△ Sí, espera un momento. ¿De parte de quién?

○ Soy Beatriz.

△ ¡Susaaaaana …al teléfono! ¡Es Beatriz!

☐ ¡Dile que ahora no puedo ponerme …! Pregúntale que qué quiere.

△ ¡Oye, que ahora no puede ponerse! ¿Le digo algo de tu parte?

○ Sí, dile que he sacado entradas para el teatro y que la obra empieza a las ocho.

△ **¡Vale! ¡No te preocupes!** Ya se lo digo yo.

EN LA OFICINA.

△ ¡Buenos días! ¿Me pone con el señor González, por favor?

○ ¿Quién le llama, por favor?

△ Soy la señorita García, del Banco de Santander.

○ Lo siento, en este momento no puede atenderla, se encuentra en una reunión. ¿Puede llamar más tarde?

△ Si hace el favor, dígale que ya hemos preparado todos los documentos para el préstamo que solicitó. De todas formas, volveré a llamar más tarde.

(Más tarde)

□ ¿Algún recado para mí?

○ Sí, ha llamado la señorita García, del Banco de Santander, y ha dicho que ya tienen preparados todos los documentos en relación con el préstamo que solicitó.

□ ¿Ha dejado algún número de teléfono?

○ No, pero ha dicho que volverá a llamar más tarde.

□ **¡De acuerdo!**

DOS AMIGAS EN EL PARQUE.

○ ¿Has comprado el periódico?

△ Sí, cógelo. Está en mi bolso.

○ ¡Fíjate! ¡Es increíble!

△ ¿El qué?

○ Nada, que en Puebla han nacido sixtillizos…

△ ¿En Puebla?

○ Sí, en México, … escucha: *Los sixtillizos de Puebla permanecerán unos días en la unidad de vigilancia.*

△ ¡Oye! **Echa un vistazo** al pronóstico meteorológico, a ver qué tiempo vamos a tener este fin de semana.

○ Dice que estará nuboso en el norte.

△ ¡Vaya! Yo que quería ir a la playa…

EN UN QUIOSCO DE PRENSA.

△ Me han dicho que EL PAÍS es el periódico más vendido en España...

○ **Puede ser...** Yo lo compro los domingos, pero entre semana suelo comprar otros.

△ ¿Cómo puedes leer cada día un periódico diferente?

○ Porque, en realidad, no me importa demasiado la tendencia política del periódico, sino las secciones en las que está especializado.

△ ¿Y por qué no los lees a través de Internet? Así podrías leer lo que más te guste de cada uno de ellos, ¿no?

○ Pues sí, **a lo mejor** tienes razón, pero no es lo mismo mirar la pantalla del ordenador que pasar las páginas del periódico, **¿no crees?**

PRENSA · REVISTAS · LIBROS

Sueles: (soler) tienes costumbre de.	**Recado:** mensaje.	**Echa un vistazo:** mira.

Cara a cara

1 Completa estos diálogos con alguna de las expresiones del recuadro:

> **A.** ¿Algún recado para mí?
> **B.** Ahora no puede ponerse.
> **C.** ¿Le digo algo de tu parte?
> **D.** ¿Y qué ha dicho?
> **E.** ¿Tienes el periódico de hoy?

1. △ Lo siento, no está, *C*...
   ○ No, déjalo, llamaré más tarde.

2. △ ....
   ○ Sí, ha llamado su mujer, y ha dicho que no puede venir a recogerlo.

3. △ ....
   ○ Sí, cógelo, está encima de la mesa.

4. △ Ha llamado la secretaria del señor Gargallo.
   ○ ....
   △ Que la reunión se suspende, volverán a convocarla la próxima semana.

5. △ Me pone con el señor González, por favor?
   ○ Lo siento, ...

2 Relaciona las expresiones con su equivalente:

· ¡No te preocupes!	· ¿Verdad?
· ¡De acuerdo!	· Posiblemente.
· ¿No crees?	· Mira esto.
· Puede ser...	· Quizá.
· A lo mejor	· ¡Tranquilo(a)!
· Echa un vistazo	· ¡Vale!

Ahora, completa este diálogo con las expresiones del recuadro:

△ (1) .... al periódico, hay un montón de ofertas de trabajo, (2) .... encuentras algo interesante, (3) ....

○ (4) ...., déjame ver... ¡Mira! La mayor parte de los anuncios se refiere a trabajos comerciales y a mí eso no me interesa... ¡Esto no tiene solución! Llevo tres meses buscando trabajo...

△ (5) ...., seguro que tarde o temprano encontrarás algo.

○ (6) ....… … si tú lo dices...

Gramática

ESTILO DIRECTO

Reproducimos literalmente lo que alguien ha dicho o escrito:

△ MARÍA: Lo siento, no puede ponerse ahora, ¿le digo algo, Jesús?

○ JESÚS: Sí, dile que he reservado la pista de tenis para las cinco.

ESTILO INDIRECTO

Nos referimos a lo que alguien ha dicho o escrito:

△ ¿Quién era?

○ Jesús.

△ ¿Y qué **ha dicho**?

○ Pues **ha dicho que** ha reservado la pista de tenis para las cinco.

Algo más de información

Cuando narramos en estilo indirecto, utilizamos esta estructura: DICE QUE, HA DICHO QUE... y tenemos que hacer algunos cambios en los pronombres, en la persona del verbo y en las expresiones de lugar y tiempo.

1. AFIRMACIONES Y NEGACIONES

Gema: *¡Quiero ir!*

Gema **dice que** *quiere ir.*

Gema: *¡No quiero ir!*

Gema **dice que** *no quiere ir.*

2. PREGUNTAS

Tipo A

Gema: *¿A qué hora empieza la reunión de Dirección?*

Gema **pregunta (que)** *a qué hora empieza la reunión de Dirección.*

Tipo B

Gema: *¿Ha salido ya el autobús?*

Gema **pregunta (que)** *si ha salido ya el autobús.*

IR(SE) / VENIR

Voy al banco ⟶

⟵ Vengo del banco

AQUÍ   ALLÍ
ACÁ   ALLÁ

TRAER / LLEVAR

Llevo dinero al banco ⟶

⟵ Traigo dinero del banco

AQUÍ   ALLÍ
ACÁ   ALLÁ

¡OJO!   **ACÁ** y **ALLÁ** son de uso general en Hispanoamérica.

△ *Le he dicho **a María** que no quiero ver**la** nunca más.*
○ *¿Qué dices?*
△ *Nada, que no quiero ver**la** nunca más.*

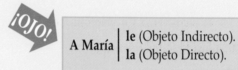

A María | **le** (Objeto Indirecto).
A María | **la** (Objeto Directo).

A + PERSONA

(A Luis, a María, a los españoles, a las alumnas)

OBJETO DIRECTO	OBJETO INDIRECTO
me	me
te	te
lo / la	**le (se)**
nos	nos
os	os
los / las	**les (se)**
*No quiero ver **a María**.*	*Le he dicho **a María***
*No quiero ver**la**.*	*que no quiero ver**la**.*

¿Cómo sabremos si **a María** es objeto directo u objeto indirecto?
Depende del tipo de verbo.

A) VERBO + ALGO + A ALGUIEN
          OD   OI

Decir, contar, preguntar, recomendar, sugerir, prohibir, pedir, mandar, rogar, etcétera.

△ *¿Por qué está enfadada **Pilar**?*
○ *Porque **le** he dicho (**a Pilar**) que ha engordado.*

B) VERBO + ALGO (o bien) + A ALGUIEN
          OD   OD

Ver, visitar, escuchar, amenazar, oír, etcétera.

△ *¿Has visto últimamente **a Lisa**?*
○ *Pues no… , hace meses que no **la** veo.*

Vamos a practicar

1 Escucha esta conversación telefónica entre dos panameños y contesta con VERDADERO / FALSO.

	V	F
a. Marco ha estado de viaje.		
b. Teresa está muy tranquila y relajada.		
c. Van a verse al día siguiente.		

2 Completa con la información que escuches.

1. Dice que ....

2. Dice que ....

3 ¿Qué dice? Transforma los siguientes mensajes al estilo indirecto.

> 1. Comprar la enciclopedia. Lunes, último día de oferta.
> Luis.

> 2. Te he cogido 5.000 pesetas, te las devolveré el viernes. Gracias.
> María.

> 3. Reunión a las cinco. Asunto: presupuesto.
> Paula.

1. Luis te ha dejado una nota y dice que tienes que comprar la enciclopedia antes del lunes.

2. ....
....

3. ....
....

> 4. Mañana, cumpleaños de papá.
> Juan.

4. ....
....

> 5. Vuelo Madrid – París: 19:35 h. Billete I/V: 44.000 ptas.
> Silvia.

5. ....
....

4 Completa los siguientes diálogos con IR(SE), VENIR, TRAER o LLEVAR, en el tiempo verbal que corresponda.

1. △ ¿ .... ya el cartero?

○ Sí, ... el paquete que estabas esperando.

2. △ .... a casa. Luego **te doy un toque**.

○ ¡Vale! ¡Hasta luego!

3. △ ¿Me podrías .... a casa? Es que tengo el coche en el taller.

○ ¡Claro, hombre! Además, **me pilla de paso**.

4. △ ¿ .... el sábado pasado a la fiesta de San Isidro?

○ Sí, la Plaza Mayor **estaba a tope**.

5. △ ¿Dónde has estado esta mañana?

○ .... al médico.

△ ¿Y eso?

○ Pues no me encuentro muy bien, **estoy hecho polvo**.

> · **Te doy un toque:** te llamo por teléfono.
>
> · **Me pilla de paso:** está en mi camino.
>
> · **Estaba a tope:** estaba lleno de gente, abarrotado.
>
> · **Estoy hecho polvo:** estoy muy cansado, deprimido o preocupado.

¡FÍJATE!

5 ¡Cotilleos! Completa con los pronombres apropiados.

1. △ ¿ .... has dicho a María lo de Cristina?

○ **¡Qué va!** Hace mucho tiempo que no .... veo, ¿por qué?

△ Será mejor que .... cuente ella misma.

○ **¡Venga!** Dime .... Ahora .... has dejado con la curiosidad…

2. △ ¿Tienes ya las fotos de las vacaciones?

   ○ No, todavía no he ido a recoger................. .

   △ ¡Vaya! En esas fotos hay una historia muy interesante…

   ○ ¿Una historia?

   △ Sí,… una historia entre… Bueno, mejor, esperamos a ver las fotos.

3. △ ¿Qué .... han hecho en el pelo?

   ○ Me .... han cortado esta mañana, ¿no .... gusta?

   △ Sí, sí que .... gusta, es que estás tan distinta…

> · **¡Qué va!**: negación enfática ante una afirmación o negación.
>
> · **¡Venga…!**: expresión que introduce una petición.
>
> · **¡Vaya!**: ¡qué fastidio! ¡qué mala suerte!

---

6 Entre tu compañero(a) y tú podéis ordenar las intervenciones de esta conversación telefónica.

ALUMNO A

– Adiós, gracias.
– Bueno, mejor no, déjelo. Volveré a llamar más tarde.
– De la señorita López, llamo del hospital Rúber Internacional.
– ¿La señora Adsuara, por favor?

ALUMNO B

– Lo siento, adiós.
– ¿Le digo algo de su parte?
– ¿Sí? ¿Diga?
– No está en este momento. Ha salido. ¿De parte de quién?

---

7 Completa con la preposición adecuada:

DESDE	1. .... mi casa .... la oficina se tarda veinte minutos andando.
	2. Normalmente nado .... dos .... tres de la tarde, cuando todos están comiendo.
	3. Almería está .... seiscientos kilómetros de Madrid.
HASTA	4. .... esta ventana no veo nada.
	5. Esperaré .... las siete, pero ni un minuto más, ¿está claro?
	6. Me he echado una siesta de dos horas: .... las tres .... las cinco.
DE	7. ¿ .... cuándo estudias español? ¿Hace mucho?
	8. El dólar está .... ciento cincuenta pesetas.
A	9. ¿ .... qué día estamos?
	10. ¿ .... cuánto están las manzanas, por favor?

Fíjate en los ejemplos anteriores y con ayuda de tu profesor(a) explica qué expresa cada una de estas cuatro preposiciones.

DESDE	HASTA	DE	A

Se dice así

1 Lee este pequeño artículo de periódico. ¿Te sorprende la información?

EL 22% DE LOS ESPAÑOLES NUNCA LEE PERIÓDICOS

El 22% de los españoles no lee nunca el periódico, según un estudio del Centro de Investigaciones Sociológicas. El 33,5% lo lee todos los días. Un 12,7% lee un diario cualquier día de la semana, mientras que el 12,1% lo lee los domingos, y el 9,5%, los lunes.

2 Vas a escuchar información sobre la prensa en el mundo hispánico. Después, relaciona los nombres de los periódicos de mayor difusión en el mundo hispano con los de los países correspondientes.

ARGENTINA	ESPAÑA	MÉXICO	VENEZUELA

Diario 16

Clarín X
http://www.clarin.com.ar/

LA NACION
http://www.lanacion.com.ar/

EL ⊕ MUNDO
http://www.elmundo.es

EL UNIVERSAL
http://aguila.el-universal.com.mx

EL PAIS
http://www.elpais.es

ABC
http://www.abc.es

EXCELSIOR
EL PERIODICO DE LA VIDA NACIONAL
http://worldnews.net/excelsior/html

Toda la prensa del mundo hispano: http://www.elcastellano.com/prensa.html
Ahora conéctate a Internet y navega por los diarios hispanos.

3 Estas son las secciones habituales de un periódico:

· Opinión (editorial y cartas al director)	· Deportes
· Internacional	· Anuncios
· Nacional	· Programación TV / Radio
· Economía	· Agenda
· Sociedad	· Cartelera
· Cultura	· El Tiempo (Meteorología)

Coge un periódico, selecciona un titular que ejemplifique cada una de estas secciones y describe qué tipo de información contiene. Después explica qué sección te interesa más y por qué.

Un paso más

1 ¿Puedes imaginar qué significan estas expresiones?

Vacunar la carpeta.   *Parquear el carro.*   *¡Te llamo para atrás!*

2 Lee el siguiente texto:

SPANGLISH Y CIBERSPANGLISH

El *spanglish* es un castellano salpicado de[1] palabras inglesas -literales o adaptadas a la fonética y grafías del español- que se ha impuesto[2] en aquellos lugares donde el inglés es la lengua nacional y hay un alto porcentaje[3] de población de origen hispano. El resultado es un mestizaje[4] o cóctel lingüístico que sirve para la comunicación. ¿Sirve realmente? Parece que sí, al menos, en centros urbanos[5] como Nueva York, con un 25% de población hispana y numerosos diarios, semanarios, emisoras de radio y canales de televisión en castellano. El *spanglish*, como todo, tiene sus defensores[6] y sus detractores[7].

Sin embargo[8], este fenómeno lingüístico que, en principio, tiene unos claros límites geográficos, está penetrando[9] en nuestros hogares[10] como resultado de las

nuevas aplicaciones de la informática y de las grandes redes mundiales de comunicación. La rapidez de transmisión de la informática a través de chips[11] no deja tiempo para la traducción de la terminología informática. Más del 70% de los usuarios[12] de la Internet son anglohablantes y las traducciones de la terminología informática están dando como resultado unos vocablos[13] del tipo *printear* en lugar de *imprimir*, *hacer un exit* por *salir*, *deletear* por *borrar*, *linkar* por *enlazar* o *chatear* por *charlar en la red*, cuando, en realidad, *chatear* en castellano significa ir de chatos, es decir, ir de bar en bar tomando pequeños vasos de vino. En fin, en las puertas del siglo XXI parece inevitable hablar ya del *ciberspanglish*.

(1) salpicado de: con algunas.
(2) se ha impuesto: se hace obligatorio y se acepta.
(3) porcentaje: tanto por ciento.
(4) mestizaje: mezcla que resulta del cruce de dos lenguas (en este caso).

(5) centros urbanos: ciudades.
(6) defensores: que están a favor de.
(7) detractores: que están en contra de.
(8) sin embargo: no obstante.
(9) está penetrando: está entrando.
(10) hogares: casas, familias.

(11) chips: circuitos que permiten conexiones informáticas.
(12) usuarios: que hacen uso de.
(13) vocablos: palabras.

Después de leer el texto, preparad en grupos una lista de sugerencias para promover el uso del español en la red.

Ahora ya sabes

FUNCIONES

Transmitir lo dicho por otro. ☐

Hacer referencia a lo escrito. ☐

GRAMÁTICA

Dice que / ha dicho que + INDICATIVO. ☐

Pronombres OD y OI. ☐

Ir / Venir. ☐

Traer / Llevar. ☐

Desde, hasta, de, a. ☐

VOCABULARIO

La prensa. ☐

Los periódicos hispanos. ☐

Secciones de un periódico. ☐

Titulares de prensa. ☐

Spanglish. ☐

¿Eres capaz de...?

¿Eres capaz de situar estas frases?

– ¿Cómo es que llegas tan tarde? ☐
– Nunca había visto algo así. ☐
– ¡Buenos días, agente! Vengo a denunciar un robo… ☐
– ¡No es posible! ¡Cuánto tiempo sin verte! ☐

Pretexto

EN UNA TERRAZA EN LA CALLE, DOS CHICOS JÓVENES.

△ ¿**Cómo es que** llegas tan tarde?

○ Lo siento, anoche salí y llegué **a las tantas** y, esta mañana, no he oído el despertador. Además, el tráfico estaba **de pena…**

△ Deberías haberme llamado… Llevo una hora esperando…

○ Te llamé antes de salir, pero tu teléfono estaba comunicando. …Ya te he dicho que lo siento.

△ ¿Y para qué tienes un teléfono móvil?

○ Con las prisas, lo olvidé en casa…

DOS AMIGAS.

△ ¿Te acuerdas del viaje que hicimos a Inglaterra después de terminar la carrera?

○ **¡Claro!** ¡Cómo no iba a acordarme! Nunca había salido de España, era mi primer viaje al extranjero…

△ Sí, aquel viaje fue increíble, pero… ¿recuerdas la primera noche?

○ Sí, salimos a tomar unas copas y, cuando volvimos a la residencia de estudiantes, habían cerrado y nadie se había acordado de dejarnos la llave. Tuvimos que dormir en la calle… ¡Qué noche!

△ Fue la misma noche que conocimos a Samir, ¿te acuerdas de Samir?

○ Sí, aquel marroquí que había ido a Inglaterra para hacer un curso de inglés…

△ Creo que no te lo había dicho, pero hace dos años me encontré con él en Madrid y me dijo que se había casado con una chica argentina.

○ **¿En serio?**

△ **¡Como lo oyes!**

¡OJO! recordar / acordarse de…

EN LA PUERTA DE UN CINE.

△ ¡Pilar!

○ **¡No es posible!** ¡Cuánto tiempo sin verte! No puedo creerlo…

△ ¿Qué haces por aquí? ¿Qué ha sido de tu vida durante todos estos años?

○ ¿Cuándo nos vimos por última vez?

△ Creo que fue hace tres años, cerca de mi casa… ¿Te acuerdas?

○ Sí, estaba lloviendo, ¿no? **Nos pusimos como una sopa…** A propósito, ¿te casaste con Pablo?

△ Sí, aquel mismo año nos casamos, yo todavía no había terminado la carrera, estaba en tercero de ingeniería nuclear.

○ ¿Tenéis niños?

△ Pues… la verdad es que acabamos de separarnos, hace sólo tres meses…

○ **¡Vaya! Lo siento…**

△ Es mejor así. Los dos primeros años fueron maravillosos, después empezaron los problemas…

○ Si puedo ayudarte en algo…

△ **Bueno**, y tú, ¿qué tal?

○ Bien, trabajo en una empresa argentina de exportación e importación y… sigo soltera…

EN LA COMISARÍA DE POLICÍA.

△ ¡Buenos días, agente! Vengo a denunciar un robo…

○ Tenga este impreso… Rellénelo con sus datos personales, después le tomaré declaración.

(Más tarde)

○ ¡Dígame!

△ Verá, hace una semana me fui de viaje por motivos de trabajo y dejé el coche aparcado en la calle de Serrano, a la altura de Colón…
Esta mañana he ido a recogerlo, pero no estaba…

○ ¿Está seguro de que lo aparcó donde dice?

△ Sí, sí, seguro. Lo recuerdo bien porque la calle está en obras…

○ Dígame el número de la matrícula.

△ M - 4565 - SU. Es un Renault Laguna de color azul.

○ Voy a mirar en el ordenador… Un momento, por favor.

Cara a cara

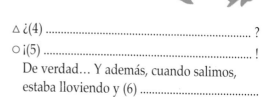

1 Relaciona los elementos de las dos columnas:

1. ¡Como lo oyes!	A. Muy tarde, de madrugada.
2. (Estaba) de pena.	B. ¿Por qué… ? (con matiz de sorpresa)
3. A las tantas.	C. ¿De verdad?
4. ¿En serio?	D. Lo que te estoy diciendo es verdad.
5. Ponerse como una sopa.	E. Fatal, había mucho tráfico (en este caso).
6. ¿Cómo es que...?	F. Mojarse

Completa el diálogo con las expresiones del recuadro.

△ ¡Oye! ¿(1) .... no has ido a trabajar?

○ Estoy hecho polvo, anoche bebí demasiado y volví (2) ....
Tengo una resaca…

△ ¿Dónde estuviste?

○ Primero fuimos a ver una obra de teatro…

△ Y… ¿qué tal?

○ (3) .... Los actores eran malísimos y el sonido, horrible…

△ ¿(4) .... ?

○ ¡(5) .... !
De verdad… Y además, cuando salimos, estaba lloviendo y (6) ....
.... ¡Menuda noche!

2 Completa con las frases y palabras del recuadro:

A. ¡Vaya! Lo siento.
B. ¡Dígame el número de la matrícula, por favor!
C. ¡Cuánto tiempo sin verte!
D. Un Renault Twingo de color amarillo.

1. △ ¡María!
○ ....

2. △ Acabamos de separarnos…
○ ....

3. △ ....
○ M - 3987 - LA
△ ¿Qué modelo es?
○ ....

Gramática

DAR	DECIR	IR/SER	PODER	PONER	ESTAR	TENER	VENIR
di	dije	fui	pude	puse	estuve	tuve	vine
diste	dijiste	fuiste	pudiste	pusiste	estuviste	tuviste	viniste
dio	dijo	fue	pudo	puso	estuvo	tuvo	vino
dimos	dijimos	fuimos	pudimos	pusimos	estuvimos	tuvimos	vinimos
disteis	dijisteis	fuisteis	pudisteis	pusisteis	estuvisteis	tuvisteis	vinisteis
dieron	dijeron	fueron	pudieron	pusieron	estuvieron	tuvieron	vinieron

Para ayudarte

PRETÉRITOS CON U

andar ⟶ anduve
caber ⟶ cupe
estar ⟶ estuve
poder ⟶ pude
poner ⟶ puse
saber ⟶ supe
haber ⟶ hube

PRETÉRITOS CON J

conducir ⟶ conduje
decir ⟶ dije
deducir ⟶ deduje
producir ⟶ produje
reducir ⟶ reduje
traducir ⟶ traduje
traer ⟶ traje

PRETÉRITOS CON I

hacer ⟶ hice
querer ⟶ quise
venir ⟶ vine
dar ⟶ di
decir ⟶ dije

E > I ⟶ PEDIR

pedí
pediste
pidió
pedimos
pedisteis
pidieron

OTROS: *corregir, elegir, impedir, medir, servir, seguir, vestir.*

O > U ⟶ DORMIR

dormí
dormiste
durmió
dormimos
dormisteis
durmieron

OTROS: *morir.*

PRETÉRITO PLUSCUAMPERFECTO

había	
habías	
había	
habíamos	+ PARTICIPIO
habíais	
habían	

CONTAR	→	CONTADO
PERDER	→	PERDIDO
PERMITIR	→	PERMITIDO

 ¡OJO!

Revisa los participios irregulares.

1. Expresa una acción en el pasado, anterior a otro pasado:

○ *¿Finalmente te casaste con Paco?*

△ *Sí, hace tres años. Cuando nos casamos, **aún** no **había terminado** el doctorado.*

2. En la lengua hablada, a veces, se sustituye por el pretérito, pero sólo cuando el contexto deja clara la idea de anterioridad:

△ *¿Tiene experiencia?*

○ *Sí, antes de venir a España, **trabajé** (= **había trabajado**) en una empresa norteamericana.*

3. Nunca antes (de ese momento):

△ *¿Qué te ha parecido Toledo?*

○ ***Nunca** (antes) **había visto** una ciudad tan pintoresca.*

PARA CONTAR HISTORIAS, ANÉCDOTAS, SUCESOS...

1. Para introducir la historia:
· una vez
· un día
· el otro día
· en una ocasión
· hace varios años

2. Para destacar un suceso importante:
· y entonces
· en ese momento
· de repente
· de golpe
· y... ¡zas!

3. Para expresar circunstancias:
· hasta que
· en cuanto
· mientras
· cuando

4. Para terminar la historia:
· total que
· al final
· después de todo

Vamos a practicar

1 Escucha los comentarios de esta mexicana después de tres semanas de estancia en Madrid.

	SÍ	NO
a. Es su primer viaje a España.		
b. No le gusta Madrid.		
c. Los madrileños son muy prudentes manejando el carro.		

Ahora, escribe el equivalente de estas palabras en la variante castellana:

MÉXICO	ESPAÑA
1. linda	**1.**
2. nunca más antes	**2.**
3. carro	**3.**
4. manejar	**4.**
5. tomar el metro	**5.**

¡OJO! La **X** de México es un arcaísmo ortográfico. Debe pronunciarse siempre como **J**.

2 Completa este texto con tiempos de pasado.

El viaje a Amsterdam (ser) .... increíble. (Salir, nosotros) ....
.... a las nueve de la mañana en un vuelo de las líneas aéreas
holandesas y (llegar, nosotros) .... a las once y media.
Después, (ir, nosotros) .... a recoger el coche de alquiler
y (conducir, nosotros) .... hasta Utrecht, (tardar,
nosotros) .... aproximadamente una hora. Cuando
(llegar, nosotros) ...., ya (cerrar) .... las
tiendas, así que no (poder, nosotros) .... comprar nada
y, además, (estar) .... lloviendo a mares.

Después de comer, (ir, nosotros) .... a la reunión y allí
(conocer, nosotros) .... a gente muy interesante:
(haber) .... una actriz, una cantante de ópera, una profesora, un escritor, un ilustrador de comics..., gente muy variopinta.
Al terminar, (estar, nosotros) .... muertos de cansancio
y (decidir, nosotros) .... ir al hotel.

3 Completa los diálogos con tiempos de pasado:

1. △ ¿Cómo es que has tardado tanto?

○ Es que (tener, yo) .... que traducir todos los documentos y, cuando (terminar,
yo) .... , (darse cuenta, yo) .... de que (olvidar, yo)
.... hacer las fotocopias. Lo siento. ¿Puedo ayudarte todavía?

2. △ No encuentro el archivo del caso González, ¿sabe dónde está?

○ Creo que lo (poner, yo) .... en el cajón de la derecha. Mire a ver...

△ Sí, aquí está, ¿lo (revisar, usted) .... ?

○ No, lo siento, no (tener, yo) .... tiempo.

3. △ ¿Le (decir, tú) .... a Luis que (sacar, nosotros) ....
las entradas?

○ Pues no, porque le (llamar, yo) .... pero no (estar, él) .... …
Voy a intentarlo ahora… ¡Vaya! Está comunicando.

4. △ ¿Tienes el informe?

○ No, lo (pedir, yo) .... hace dos días, pero todavía no me lo ha mandado.
Voy a enviarle un correo electrónico para recordárselo.

5. △ ¡Cuánto has tardado! Llevo veinte minutos esperándote.

○ Ya lo sé… Lo siento, la reunión ha (durar) .... más de lo que pensaba.

| durar / tardar |

4 **Relacionamos dos hechos en el pasado. Forma frases como en el modelo:**

• Salir de la oficina. Llegar el fax. • *Cuando salí de la oficina, todavía no había llegado el fax.*

1. Llegar a casa. Terminar la película.
2. Llamar por teléfono a Luis. Luis marcharse ya.
3. Comprar el frigorífico. Terminar la oferta, todavía no.

4. Entregar el examen. Acabar todos ya. ¡Fui el último!
5. Pasar el semáforo. Ponerse rojo ya.

5 **¡Qué coincidencia! Tu compañero(a) y tú habéis estado en París, pero no os habéis visto. No mires la información de tu compañero(a). Contrastad vuestras experiencias en París.**

ALUMNO A
· Cuatro días, de jueves a domingo.
· Con amigos. Viaje por vuestra cuenta.
· Hotel en la Plaza de la Concordia.
· Visita a la Torre Eiffel.
· Espectáculo musical en el Moulin Rouge.
· Pocas compras.
· Visita al Museo del Louvre y al Museo d´Orsay.
· Tiempo lluvioso.
· Lugar favorito: Barrio de Montmartre.

ALUMNO B
· Con tus padres. Viaje organizado.
· Una semana.
· Visita a la Torre Eiffel.
· Hotel en los Campos Elíseos.
· Muchas compras.
· No visita al Museo d´Orsay.
· Lugar favorito: el Barrio Latino.
· Paseo en barco por el Sena.
· Visita al Edificio de la Ópera.
· Tiempo inestable: nubes y claros.

6 Fernando ha pasado unos días en España y desde allí escribió postales a amigos y familiares. ¿Puedes indicar en el mapa el itinerario de su viaje?

5 de octubre de 1997

Querido Julián:

Te envío un saludo desde tu tierra. Estoy sentado en una terraza del barrio de Triana, tomando un café. Al otro lado del río Guadalquivir, veo las Torres de la Giralda y la Torre del Oro. Hay mucha gente por la calle, aunque ya son casi las once de la noche. Se nota, de alguna forma, que aquí estamos cerca de África. Es una ciudad con embrujo.

Nos veremos pronto. Abrazos,

Fernando

---

20 de septiembre de 1997

Querida Alicia:

Llevo aquí tres días y ha llovido todo el tiempo. Ya me habían dicho que esta era una de las ciudades más lluviosas de España.

Desde mi ventana puedo ver la impresionante catedral. Según la leyenda, aquí se descubrieron, en el siglo IX, los restos de un apóstol de Jesucristo. Más tarde, en su honor, se construyó esta catedral.

Durante siglos han venido aquí miles de peregrinos de toda Europa. Y la verdad es que ante el famoso Pórtico de la Gloria, uno se siente como un peregrino.

He comido la mejor sopa de pescado de mi vida.

Un abrazo,

Fernando

---

7 de octubre de 1997

Querida Ana:

Dentro de dos días tengo que volver a casa. Se me han acabado las vacaciones... ¡y el dinero!

Hoy he visitado el monumento más impresionante de esta ciudad: La Alhambra. No hay en Europa muchos monumentos comparables a éste.

Como puedes ver en la postal, al fondo de la Alhambra, se ve Sierra Nevada con nieve. Bueno, nada más. Quizás llegue yo antes que la postal.

Un abrazo.

Fernando

---

26 de septiembre de 1997

Estimado señor González:

Llevo ya varios días en España y hoy he llegado a la costa del Mediterráneo. Le envío esta postal con una vista de Las Ramblas, que es un paseo muy animado, con puestos en los que venden flores.

He visto la famosa iglesia de Gaudí, La Sagrada Familia, y no me ha gustado demasiado. Pero, en cambio, me han gustado mucho otras obras suyas.

Lo que más me ha entusiasmado ha sido el Museo de Picasso. Espero que estén todos bien.

Reciba un cordial saludo de

Fernando

---

23 de septiembre de 1997

Querido José:

Como verás por la foto, esta ciudad es de las más industriales de España, y su puerto es uno de los más importantes del país. Llueve mucho y la gente, además de español, habla un idioma que los demás españoles no pueden entender.

Esta mañana he visitado, muy cerca de aquí, la ciudad de Guernica. Ello me ha recordado la guerra y el famoso cuadro de Picasso (que como sabes, está en el museo del Prado).

En Guernica he visto una escultura de Chillida, el escultor vasco que tanto le gusta a tu padre. Nada más. Recuerdos a todos, de

Fernando

---

1 de octubre de 1997

Querida mamá:

Los tíos están todos muy bien y me dan recuerdos para ti. Tú siempre dices que aquí se come la mejor paella del mundo, porque esta ciudad es la patria de la paella. Te equivocas: la mejor paella del mundo es la que tú haces. ¡Olé!

Con tío José he visitado un taller de Fallas. Es impresionante. No me imaginaba que eran tan grandes. Cada figura tiene más de tres metros ¡y todo se va a quemar en la calle, en marzo! Cómo está el mundo.

Abrazos para todos.

Fernando

---

30 de septiembre de 1997

Querido Pepe:

Tengo que escribirte otra postal para decirte que en la anterior me equivoqué: He estado en el Museo del Prado, y allí no estaba el Guernica de Picasso. Hace unos años que lo trasladaron a otro excelente museo de esta ciudad: el Reina Sofía.

Ayer compré en el Rastro un montón de postales antiguas. Verás qué originales son.

Voy a aprovechar que hace un día magnífico y voy a dar un paseo por el Retiro, uno de los parques más bonitos de España.

Chao,

Fernando

Se dice así

1 Prepárate, va a ser un día muy largo. Te vas de viaje y tienes que hacer las siguientes cosas. Decide tú los detalles.

· Comprar cheques de viaje. · Renovar el pasaporte.
· Reservar alojamiento. · Conseguir folletos informativos.
· Comprar los billetes. · Dejar las llaves al portero.
· Alquilar un coche. · Dejar al perro en el veterinario.

Como ves, cada uno de tus compañeros(as) tiene una ocupación. Dirígete a ellos y te ayudarán a conseguir todo lo que necesitas para tu viaje:

Alumno 1: banco **Alumno 5**: alquiler de coches
Alumno 2: agencia de viajes **Alumno 6**: veterinario
Alumno 3: central de reservas **Alumno 7**: portería
Alumno 4: oficina de turismo **Alumno 8**: comisaría de policia

 2 El año pasado Jesús hizo un viaje por España y se alojó en algunos Paradores Nacionales. Señala en el mapa cuáles visitó.

Los Paradores Nacionales constituyen una red de hoteles dependientes de la Secretaría de Estado del Ministerio de Turismo. Castillos medievales, antiguos palacios, conventos y monasterios han sido restaurados respetando su estilo genuino, pero adaptándose, al mismo tiempo, a las exigencias de la moderna hostelería.

Parador de Alarcón. Cuenca.

Un paso más

1 *Escenas de cine mudo* es una obra de Julio Llamazares, escritor español contemporáneo, en la que narra los recuerdos de su infancia que emergen de un viejo álbum de fotografías. Escucha:

La primera vez que salí de Olleros fue para ver el mar: un día del mes de julio, a principios de un verano inolvidable (por ese día y por los que le sucedieron) que pasó, como todos, muy deprisa, pero que quedó grabado para siempre en esta foto que un fotógrafo de playa me sacó en la de Ribadesella, en Asturias, al borde del mar Cantábrico.

(...) Aquel día, simplemente, la Chivata había cambiado su rumbo y también sus pasajeros habituales y, por la carretera de Asturias, se dirigía hacia las montañas llevando en sus asientos a una veintena de niños, la mayoría de los cuales era la primera vez que salíamos de viaje. Recuerdo todavía la subida hacia el Pontón

y la visión de la cordillera recortándose en el cielo como una gran pantalla. Recuerdo el brillo del sol filtrándose entre los árboles y, al atravesar Asturias, el penetrante olor de los tilos y de los laureles mojados. Pero lo que más recuerdo de aquel viaje, lo que me impresionó de él hasta el punto de que aún no lo he olvidado, fue la visión del mar -aquel resplandor azul- surgiendo de repente, después de varias horas de camino, en la distancia.

Muchas veces he vuelto a aquella playa (alguna vez, incluso, por el mismo camino de aquel día), pero jamás he vuelto a sentir la enorme conmoción de aquella mañana.

JULIO LLAMAZARES, Historias de cine mudo, Seix Barral, 1994: 135-36.

Después de leer el texto, elige una de tus fotografías favoritas, alguna que sea especialmente significativa para ti y escribe tus impresiones y sentimientos trasladándote al momento en que fue tomada.

Ahora ya sabes

FUNCIONES

Narrar, describir acciones pasadas. ☐

GRAMÁTICA

Revisión Pretéritos. ☐

Pretéritos irregulares. ☐

Pluscuamperfecto. ☐

VOCABULARIO

Viajes. ☐

Ciudades españolas. ☐

¡NO TE PONGAS ASÍ!

¿Eres capaz de...?

¿Eres capaz de situar estas frases?

- No te subas ahí, que vas a caerte.
- ¿Tiene el ticket de compra, por favor?
- No pongas la televisión tan alta.
- No, no me lo envuelva, gracias.

Pretexto

EN CASA.

△ No pongas la tele tan alta, ¿no ves que estoy intentando trabajar?

○ Ya, ya ...

△ ¿Llamamos a tu madre para felicitarla?

○ No, no la llames todavía. No creo que haya llegado.

△ No te subas ahí, que vas a caerte. ¡Ten cuidado!

○ Tengo que coger la maleta, **anda**, ayúdame.

△ ¡Voy a empezar a preparar la paella!

○ No, no la prepares todavía, los niños no llegan hasta las dos y media.

EN LA TIENDA DE REVELADO DE FOTOS.

△ ¡Buenos días! Vengo a recoger unas fotos…

○ ¿Tiene el resguardo?

△ Sí, aquí lo tiene.

○ Muy bien, aquí están sus fotos. ¿Quiere verlas?

△ No, gracias, ya las veré en casa.

○ ¿Algo más?

△ Sí, también quería un carrete de 24, en color.

○ El Kodak de 36 fotos está en oferta…

△ Bueno, pues déme uno de 36.

PROBLEMAS EN UNA TIENDA DE MODAS.

△ ¡Hola! Verá, la semana pasada compré este vestido. Lo he lavado y ha encogido…

○ ¡Es rarísimo! Esta tela, normalmente, no encoge. Seguramente lo lavó con agua caliente.

△ No, no. Lo lavé con agua fría y a mano, como indica la etiqueta…

○ Pues no me lo explico; como le digo, no es normal.

△ Entiendo que no es normal, pero ha ocurrido como le he dicho.

○ ¿Tiene el ticket de compra?

△ Sí, aquí lo tiene.

○ Le haré un vale.

△ No, no me haga un vale, quiero el dinero.

EL ORDENADOR SE HA ESTROPEADO.

△ No te enfades conmigo, yo no tengo la culpa.

○ Pues, ¿quién la tiene?

△ Laura es la última que utilizó el ordenador… Tú se lo dejaste, ¿no?

○ Sí, pero ahora no sé qué voy a hacer. Tengo que terminar este trabajo para mañana.

△ Bueno, **no te pongas así**. Se nos ocurrirá algo para solucionarlo…

 ¡OJO!

Ocurrírsele algo a alguien / *Ocurrir algo*

Cara a cara

1 ¡Fíjate! Une la palabra con la ilustración correspondiente.

UN TICKET DE COMPRA

UN RESGUARDO

UN VALE

UNA ETIQUETA

UNA CUENTA

UNA FACTURA

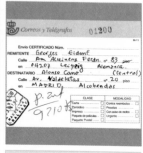

2 Completa con alguna de las expresiones del recuadro. Puedes ayudarte con el Pretexto.

A Sí, aquí lo tiene.

B ¿Te pongo un café?

C No te subas ahí.

D ¡No te pongas así, hombre!

E Quería devolver esta falda.

1.△ ¿Tiene el ticket de compra?

○ ....

2.△ ....

○ Bien, le haré un vale por su precio. Caduca a los tres meses.

3.△ ¡Estoy de un humor de perros…!

○ ¡Venga! ¡ .... !

4. △ Voy a coger la maleta…

○ .... , que vas a caerte.

5.△ ....

○ Sí, gracias, pero no me pongas azúcar.

¡OJO!

Estar de un humor de perros: estar de mal humor.

Gramática

IMPERATIVO NEGATIVO: NO + PRESENTE DE SUBJUNTIVO

		DEJAR	**BEBER**	**DECIDIR**
TÚ	NO	dejes	bebas	decidas
VOSOTROS / AS	NO	dejéis	bebáis	decidáis
USTED	NO	deje	beba	decida
USTEDES	NO	dejen	beban	decidan

*No **dejes** el coche aparcado en segunda fila, que te van a poner una multa.*
*No **bebas** bebidas alcohólicas, que tienes que conducir.*
*Si no estás seguro, **no decidas** ahora; piénsalo mejor, no hay prisa.*

USOS Y FUNCIONES DEL IMPERATIVO NEGATIVO

1. Expresar prohibición

△ *¡**No conduzcas** tan deprisa, que está lloviendo a mares, hombre!*
○ *¡Vale, tranquila!*

¡OJO! **Llover a mares:** llover mucho, de forma torrencial.

2. Expresar consejo

△ *¡**No se lo digas** todavía, va a enfadarse!*
○ *Entonces, ¿cuándo se lo digo?*

PARA JUSTIFICAR PROHIBICIONES, MANDATOS Y CONSEJOS, USAMOS:

1. Que + indicativo

△ *Baja el volumen de la tele, por favor, **que estoy estudiando**.*
○ *Sí, sí, ya voy.*

2. Si + indicativo

△ ***Si sabes** que está cansada, no la llames a estas horas. ¡Son las tantas!*
○ *Ya, pero es que tengo ganas de darle la noticia ...*

3. Parece que + indicativo

△ *No se lo digas ahora, **parece que no está** de muy buen humor.*
○ *¡Está bien...!*

PRESENTE DE SUBJUNTIVO CON VALOR DE IMPERATIVO

no	digas	vayas	hagas	seas	salgas	vengas	pongas	oigas
no	diga	vaya	haga	sea	salga	venga	ponga	oiga
no	digáis	vayáis	hagáis	seáis	salgáis	vengáis	pongáis	oigáis
no	digan	vayan	hagan	sean	salgan	vengan	pongan	oigan

△ *¿A la playa? No, no creo que vaya, estoy como una foca.*
○ *¡Anda! ¡No seas exagerada!*

IMPERATIVO NEGATIVO + PRONOMBRES: NO + OI + OD + VERBO

△ No *le* dejes **el coche a tu hermano**, *¿no ves que no tiene seguro de accidentes?*
○ No **se lo** dejes.

△ No **te** cortes **el pelo**, *te queda muy bien así.*
○ No **te lo** cortes.

Me da corte: tengo vergüenza.
Como una foca: muy gorda.

△ No **les** compres **chocolate a los niños**, *que pierden el apetito.*
○ No **se lo** compres.

△ ¡No **le** enseñes **las fotos**! ¡Me da corte!
○ No **se las** enseñes.

RECUERDA LAS REGLAS DEL GAS

Vamos a practicar

1 Señala lo que corresponda de acuerdo con las conversaciones que vas a escuchar.

	SÍ	NO
a. Llamar a RENFE.		
b. Sacar entradas para el fútbol.		
c. Tomar un café.		
d. Coger los libros.		

2 Pon los imperativos que escuches en su correspondiente forma negativa y haz las transformaciones que sean necesarias.

3 Completa con la forma del imperativo.

1. △ ¡Me voy! He quedado con Luis.
   ○ Bueno, hija, no (volver, tú) .... muy tarde.

2. △ ¡No (aparcar, tú) .... ahí, que hay un paso de cebra, ¿no lo ves?
   ○ ¡Vale, vale!

3. △ ¡No (ir, tú) .... sola, que está muy oscuro!
   ○ Le diré a José que me acompañe.

4. △ ¡No (sentarse, vosotros) .... ahí, que acaban de pintarlo!
   ○ ¡Oh, sí, es verdad!

5. △ Recuerda que esta tarde celebramos el cumpleaños de tu hermano, no (venir, tú) .... tarde.
   ○ ¿Está bien a las seis? Antes no puedo.

6. △ La mesa está mojada, no (poner, usted) .... sus cosas, espere, que voy a secarla.
   ○ ¡Gracias!

7. △ ¡No (pedir, tú) .... el taxi todavía, no tenemos que estar en el aeropuerto hasta dentro de dos horas!
   ○ Es verdad, pero es que estoy tan nervioso…

8. △ ¡No (hacer, vosotros) .... nada! Lo prepararé yo todo, no (preocuparse, vosotros) ...., que estáis de vacaciones.
   ○ ¡Si insistes…!

9. △ Mira cómo están todas las plantas. Te dije que tenías que regarlas todos los días…
   ○ Bueno, no (ponerse, tú) .... así, no es para tanto.

4 Completa con los pronombres apropiados.

1. △ ¡No metas **la carne** al horno todavía!
   ○ ¿Qué dices?
   △ ¡Que no .... metas al horno, que no está caliente todavía!

2. △ ¿Apago **la televisión**?
   ○ No, no .... apagues, que quiero ver las noticias.

3. △ No .... dejes el coche **a Juan**, es un imprudente.
   ○ Si tú lo dices…

4. △ ¿Vienes?
   ○ No, ... he dicho que no y no vuelvas a preguntár............
   ....

5. △ **El teléfono** está sonando… ¿No vas a coger .... ?
   ○ No, y tú tampoco .... cojas, que no quiero hablar con nadie.

5 Tu compañero(a) y tú no estáis de acuerdo. Explícale por qué.

   △ *Voy a abrir la ventana. Hace un calor horrible.*
   ○ *No, no la abras, por favor, que estoy resfriada.*

ALUMNO A Quieres hacer algunas cosas	ALUMNO B No estás de acuerdo, pero debes justificarte
1. Abrir la ventana.	1. ....
2. Subir el volumen de la televisión.	2. ....
3. Tirar el periódico a la basura.	3. ....
4. Cambiar el canal de televisión.	4. ....
5. Regar las plantas.	5. ....
6. Fregar los platos ahora.	6. ....
7. Llamar a Luis.	7. ....
8. Ir a comprar tabaco.	8. ....

6 ¡Fíjate en el modelo y practica con tu compañero(a)!

△ *He engordado mucho últimamente.*
○ *Pues si quieres adelgazar, **no comas** dulces y **haz** más ejercicio.*

ALUMNO A Tienes algunos problemas	ALUMNO B Le das algunos consejos
· He engordado mucho últimamente. · Me siento agotada. · Tengo insomnio. · Gasto muchísimo y no puedo evitarlo. · Hablo demasiado y de forma inoportuna.	· No comer tanto. · Hacer más ejercicio. · No comprar todo lo que ve. · Tomar una tila antes de acostarte. · No beber café por la noche. · Pensar antes de hablar. · Decidir cada mes cuánto va a gastar y cuánto va a ahorrar. · No fumar tanto. · Echarse una siesta todos los días. · No usar tarjetas de crédito.

7 Relaciona estas expresiones con los dibujos:

Ser un(a) manirroto(a).

Estar como una foca.

Ser un(a) bocazas.

No pegar ojo.

Estar hecho(a) polvo.

QUERIDO, ESTÁS ENGORDANDO.

3

Se dice así

1 Lee este diálogo y trata de explicar el significado de las expresiones
que hemos destacado:

△ ¿Qué pasa? ¿Cómo es que no estás en clase? **¿Has hecho pellas?**

○ Realmente no, es que me dolía la cabeza y he venido a tomarme una
aspirina, pero tú, ¿qué haces aquí? ¿No tienes clase?

△ La verdad es que no puedo soportar a la **profe** de Historia, es un **rollo**
increíble...

○ Yo no la elegí precisamente por eso... Ya me habían hablado de la de
historia... Un **hueso**. ¿Qué tal te salió el examen que hiciste ayer?

△ ¿El de Lengua?

○ Sí...

△ Pues no sé... A lo mejor **apruebo por los pelos**.

○ ¿Fue difícil?

△ Así, así. Ni fácil ni difícil, yo no tenía ni idea del uso del subjuntivo.
Y a María la pillaron **copiando...**

○ ¿En serio?

△ ¡Como lo oyes! Tenía una **chuleta** con la conjugación de todos los verbos,
la **profe** se la vio, y ya te puedes imaginar: **ha cateado**.

△ ¡Qué fuerte! ¿No?

○ Pues sí... A ver cuándo nos dan las notas. Si apruebo, va a ser por los pelos.
¡Ya veremos!

2 Fíjate en estas palabras y expresiones. Pregunta a tu profesor(a) el significado
de las que no entiendas:

· *Hacer un examen.*	· *Coger / elegir una asignatura.*
· *Aprobar un examen (por los pelos).*	· *Suspender un examen / catear.*
· *Sacar una buena/mala nota.*	· *El/la profe.*
· *Ir a clase.*	· *Hacer pellas.*
· *Ser un(a) empollón(a).*	· *Hacer la pelota.*
· *Tener una chuleta.*	· *Copiar.*

ESPAÑA	PERÚ	COLOMBIA
aprobar por los pelos _____	pasar con las justas _____	pasar de chiripa
ser un(a) empollón(a) _____	ser un(a) chancón(a) _____	ser un(a) comelibro
hacer pellas _____	hacerse la vaca _____	capar clase
hacer la pelota _____	ser un sobón _____	cepillar / sapear

Un paso más

1 Lee el siguiente texto:

CÓMO SON LOS JÓVENES ESPAÑOLES DE HOY.

La gente joven ya no sueña con llevar una cartera bajo el brazo y pasarse el día comprando y vendiendo acciones en reuniones de negocios. Para ellos, lo más importante ya no es ganar dinero de forma rápida o alcanzar el éxito profesional. Muchos están dispuestos a renunciar a ciertas comodidades materiales y al reconocimiento profesional a cambio de disfrutar mejor la vida; se trata del fenómeno que los estadounidenses denominaron, a principios de esta década, como **downshifting**.

¿Y qué entienden por disfrutar mejor la vida? Sin duda, contar con más tiempo libre para realizar otras actividades, para disfrutar de la familia y los amigos... Así, para los jóvenes españoles, lo más importante es la familia, el amor y la solidaridad. El trabajo también les preocupa, claro, pero no es lo primero en su escala de valores.

Fuente: Amando de Miguel. Informe sobre la sociedad española, 1994. Nota: Colectivo de jóvenes entre 18 y 30 años.

2 ¿Cómo son los jóvenes de tu país? ¿Qué valoran? ¿Qué les preocupa?
Establece con números su escala de valores y justifícala.

Familia	
Amor y amistad	
Trabajo	
Solidaridad	
Dinero	
Religión	
Éxito profesional	

Ahora ya sabes

FUNCIONES

Expresar prohibición. ☐

Expresar consejo. ☐

Justificar prohibiciones, mandatos y deseos. ☐

GRAMÁTICA

IMPERATIVO negativo. ☐

Presente de SUBJUNTIVO con valor de IMPERATIVO. ☐

No + OI + OD. ☐

Que + INDICATIVO. ☐

VOCABULARIO

Coloquialismos estudiantiles de aquí y allá. ☐

UNIDAD **4**

¡OJALÁ!

¿Eres capaz de...?

¿Eres capaz de situar estas frases?

– ¡Ojalá…! ☐

– Me da lo mismo.
El que quieras. ☐

– ¡Perfecto! ☐

– ¡No te preocupes! ☐

Pretexto

UNA PAREJA EN LA TERRAZA DE CASA.

△ **¿Qué te parece si** vamos a Francia?

○ ¿A Francia?

△ Sí, podríamos alquilar un barco y navegar por los canales…

○ Es una buena idea, pero…, ¿tú sabes manejar un barco?

△ No es difícil… **Ya verás.** ¿Qué parte de Francia te gustaría conocer?

○ Pues, me da igual, la que quieras. **Quizá…** el Canal du Midi. Como está en el sur, hará mejor tiempo, **¿no?**

△ Sí, además, el canal pasa por Carcasona, que es una ciudad medieval maravillosa.

○ Bueno, pues vamos a la agencia de viajes **a ver si** todavía quedan barcos…

DOS COMPAÑEROS DE TRABAJO EN LA OFICINA.

△ ¿Qué vais a hacer este verano?

○ Todavía no lo hemos decidido… Quizá vayamos a los Estados Unidos. **Depende de si** tenemos suficiente dinero, es que el dólar ha subido mucho últimamente…

△ **Ya…**

○ ¿Y vosotros?

△ Hemos alquilado un barco para navegar por el Canal du Midi, en Francia.

○ ¡Es una idea excelente!

△ ¿Por qué no os venís con nosotros? El barco que hemos alquilado es para cuatro personas… Pregúntale a Lucía, a ver si le apetece.

○ ¡Ojalá quiera…! **Bueno…** luego te llamo.

EN LA AGENCIA DE VIAJES.

△ ¡Buenos días! ¿En qué puedo ayudarles?

○ Queríamos alquilar un barco en el Canal du Midi, en Francia.

△ Bien, **vamos a ver si** quedan barcos sin alquilar en esa zona. ¿Para cuándo lo quieren?

○ Para agosto, una semana.

△ ¿Qué semana de agosto?

○ Nos da igual, la que sea.

△ ¿Les parece bien la segunda semana de agosto?

○ ¡Perfecto!

EN LA PUERTA DEL CINE.

△ ¡Qué raro! Habíamos quedado a las ocho y media. Normalmente es muy puntual…

○ ¡No te preocupes! Seguro que no ha pasado nada. Lo mismo está en un atasco… Ya sabes… a estas horas hay mucho tráfico.

△ Sí, puede que tengas razón. A lo mejor no podía venir y me ha llamado, pero como yo no he estado en casa en todo el día…

○ Seguro que viene… Posiblemente esté buscando un sitio para aparcar.

△ Bueno, si no llega, podemos dejarle la entrada en la taquilla.

¡OJO!

ESPAÑA	HISPANOAMÉRICA
entrada: para espectáculos o visita cultural. **billete:** para transportes y lotería. **boleto:** para juegos de azar y sorteos. **tique (ticket):** de una compra pequeña.	boleto tiquete

DOS AMIGAS EN UNA CAFETERÍA.

△ ¡Ojalá me den el trabajo… sería fabuloso!

○ ¿Qué tal hiciste la entrevista?

△ Creo que bastante bien… Pero, nunca se sabe…

○ ¿Qué te preguntaron?

△ Que dónde había estudiado, que si tenía experiencia, que… bueno, ya sabes, lo típico.

○ ¡Que tengas suerte! Y con tu primer sueldo, ¿a qué me vas a invitar?

△ A lo que quieras.

Cara a cara

1 Explica el significado de las expresiones del recuadro y completa el diálogo con ellas:

A ver si…	Ya verás…
¿Qué te parece si…?	¡Ojalá…!

△ ¡Qué lata! Está lloviendo a cántaros…

○ (1) .... cómo deja de llover dentro de un rato.

△ (2) .... … (3) .... es verdad…

○ ¿(4) .... alquilamos una película de vídeo? ¿Has visto *El paciente inglés*?

△ No…

2 Completa los minidiálogos con las siguientes frases:

A. La que quieras.
B. Igual se le ha olvidado que habíamos quedado.
C. ¿Qué te parece si…?
D. ¡Perfecto!
E. Ya…
F. ¡No te preocupes!
G. Me da lo mismo.

1. △ ¿ .... salimos a dar una vuelta? Estoy un poco harta de estar en casa.
   ○ ¡Vale! Vamos a tomar algo al bar de Juan.

2. △ ¿Te parece bien el rojo?
   ○ ....

3. △ ¿Adónde vamos?
   ○ .... Adonde prefieras.

4. △ ¿Qué chaqueta me pongo?
   ○ No sé. .... Las dos son muy bonitas.

5. △ ¡Qué raro! Siempre es muy puntual.
   ○ ....

6. △ ¡Es tardísimo! No entiendo cómo es que no han llegado todavía.
   ○ .... No creo que tarden.

7. △ No debes decírselo.
   ○ .... … Si tú lo dices…

Gramática

PRESENTE DE SUBJUNTIVO

	ACEPTAR	LEER	PROHIBIR
(yo)	acepte	lea	prohíba
(tú)	aceptes	leas	prohíbas
(él, ella, usted)	acepte	lea	prohíba
(nosotros / as)	aceptemos	leamos	prohibamos
(vosotros / as)	aceptéis	leáis	prohibáis
(ellos / as, ustedes)	acepten	lean	prohíban

PRESENTE DE SUBJUNTIVO: VERBOS IRREGULARES

HACER	TENER	PONER	SALIR	IR	VENIR	PODER
haga	tenga	ponga	salga	vaya	venga	pueda
hagas	tengas	pongas	salgas	vayas	vengas	puedas
haga	tenga	ponga	salga	vaya	venga	pueda
hagamos	tengamos	pongamos	salgamos	vayamos	vengamos	podamos
hagáis	tengáis	pongáis	salgáis	vayáis	vengáis	podáis
hagan	tengan	pongan	salgan	vayan	vengan	puedan

EXPRESIÓN DE DESEO CON INDICATIVO / SUBJUNTIVO

1. ¡Ojalá… + SUBJUNTIVO!

△ *¿Vais a salir este verano?*

○ *¡Ojalá podamos…! Depende de si tenemos suficiente dinero.*

¡OJO!

En Hispanoamérica es más frecuente **ojalá que**;
sin embargo, en la Península preferimos **ojalá**.

2. ¡Que + SUBJUNTIVO!

△ *Me voy. Tengo un examen a las tres.*

○ *¡Que te salga bien!*

3. A ver si + INDICATIVO

△ *A ver si nos toca la lotería…*

○ *¡Ojalá…!*

EXPRESAR PROBABILIDAD CON INDICATIVO / SUBJUNTIVO

| posiblemente
probablemente
tal vez
quizá / quizás | + INDICATIVO / SUBJUNTIVO |

△ *¿Vas a ver a María este fin de semana?*
○ **Posiblemente la vea...**, *pero no lo sé, no estoy segura.*

 | Si la expresión va detrás del verbo, sólo puede usarse el indicativo.

△ *¿Vas a salir esta noche?*
○ *No sé,* **saldré... Tal vez,** *ya veremos.*

| a lo mejor
lo mismo
igual | + INDICATIVO |

△ *¿Qué vas a hacer este fin de semana?*
○ *No sé,* **igual voy a esquiar.** *Depende del tiempo.*

EXPRESAR INDIFERENCIA CON SUBJUNTIVO

△ *¿Qué vino pido, tinto o blanco?*
○ *Me da igual.* **El que quieras.**

(Me da igual)	como cuando donde	quieras / queráis.
(Me es indiferente)	lo que el que la que	prefieras / prefiráis.
(Me da lo mismo)	cuanto	

DEPENDE DE +	QUE + SUBJUNTIVO
	SI + INDICATIVO

△ *¿De qué depende?*
○ *De que tenga tiempo / De si tengo tiempo.*

Vamos a practicar

1 Di la forma correspondiente del presente de subjuntivo de los verbos que escuches.

2 Reacciona ante las situaciones siguientes manifestando tu indiferencia. Recuerda las estructuras y expresiones que has aprendido.

1. ....
2. ....
3. ....

4. ....
5. ....

3 Completa estos diálogos con el presente de indicativo o de subjuntivo.

1. △ ¡Ojalá (hacer) .... buen tiempo este fin de semana!
   ○ Sí, a ver si (poder) .... salir…!

2. △ ¿Qué coche (ir, vosotros) .... a comprar?
   ○ Posiblemente (comprar, nosotros) .... un Fiat Barchetta.
   △ Es un descapotable, ¿no?

3. △ ¿Todavía no ha llegado? ¡Qué raro!
   ○ Igual (estar, él) .... enfermo.

4. △ Me voy, tengo el examen a las seis.
   ○ ¡Suerte! ¡Que te (salir) .... bien!

5. △ ¡Ya son las doce! Me voy a la cama.
   ○ ¡Que (dormir, tú) .... bien!

6. △ Puede que (casarse, nosotros) .... este verano.
   ○ ¿En serio?

7. △ ¿Y Luis?
   ○ Ha salido. Tenía una entrevista de trabajo.
   △ A ver si se lo (dar, ellos) ....
   ○ ¡Ojalá…!

8. △ ¡Por fin…! ¡Me voy de vacaciones!
   ○ ¡Que te lo (pasar) .... bien, y que (ponerse, tú) .... muy morena!

4 ¿Qué crees que pasa?

△ *¡Qué raro! No hay nadie.*
○ *Puede que esté en la ducha y no nos oiga. Llama otra vez.*

1. Recibes un ramo de flores sin tarjeta.

2. Llegas a la facultad y está cerrada.

3. Tu casa está llena de agua.

4. En tu cuenta del banco no hay dinero.

5. Los vecinos están haciendo mucho ruido.
   No es normal.

6. Hoy no hay clase.

5 Con tu compañero(a). Deja que elija.

△ *¿Te pongo café, o té?*
○ *Me da igual. Lo que quieras.*

1. Café / té.

2. Autobús / metro.

3. Cine / teatro.

4. Pantalones / vestido.

5. Sábado / domingo.

6. Vino blanco / vino tinto.

7. Carne/pescado.

8. Una/dos cucharadas de azúcar.

6 Formula un deseo, como en el modelo.

– *¡Ojalá me toque la lotería…!*

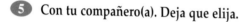

7 Habla con tu compañero(a) como en el modelo.

△ *David está en el hospital. Voy a verlo esta tarde.*

○ *¿Qué le pasa?*

△ *Le han operado la rodilla.*

○ *¡Vaya! Dale recuerdos de mi parte y **que se mejore**.*

ALUMNO A	ALUMNO B
1. Esta tarde tengo el examen de conducir.	**1.**
2. Tengo una entrevista de trabajo.	**2.**
3. ¡Me voy a casa! No me encuentro muy bien.	**3.**
4. Esta mañana he recibido una carta certificada de Hacienda.	**4.**
5. ¡Estoy agotado!	**5.**

8 Completa el siguiente diálogo con el tiempo de indicativo / subjuntivo que sea conveniente.

△ ¿Qué tal (seguir, tú) .... ?

○ ¡Vaya! Igual (ir, yo) .... a trabajar mañana, depende de si
(tener, yo) .... fiebre. Ya veremos. ¡Oye! ¿Vas a ir al concierto
de Dire Straits?

△ ¿Cuándo es?

○ El jueves, a las diez, en la Sala Paradiso. La verdad es que no sé si (quedar)
.... entradas… Creo que deberíamos llamar por teléfono.

△ Bueno, si (quedar) .... , a lo mejor (ir, yo) ....
¿(Pensar) .... ir tú?

○ Posiblemente ...

△ Si (querer, tú) .... puedo ver si (haber) ....
entradas todavía y, si (quedar) .... , compro dos, ¿vale?

○ ¡Muy bien! ¡Ojalá (quedar) .... !

△ ¿Las compro con reserva de asiento?

○ Me da igual. Como (querer, tú) ....

△ Bueno, ya veré. Te (llamar, yo) .... mañana.

Quedar

Quedarse

Se dice así

1 ¡Fíjate en este equipo multimedia! Coloca los nombres.

monitor

ordenador

disquete

teclado

CD-ROM pantalla

micrófono

módem

impresora cable ratón

disquetera enchufe

2 Ahora lee el siguiente texto:

EL PUEBLO DEL SIGLO QUE VIENE

La villa alicantina de Villena será el primer pueblo informatizado de España y probablemente sea el primero de Europa también. La Unión Europea ha puesto en marcha[1] este proyecto y ha elegido este pequeño pueblo español como centro piloto[2]. El Ayuntamiento será un centro virtual[3] que controlará una gran red de comunicaciones que unirá comercios, escuelas, servicios, médicos, bancos y centros de trabajo.

Uno de cada treinta habitantes de Villena dispondrá de[4] un ordenador con el que podrá acceder a[5] todo un mundo de posibilidades informáticas impensables[6] hasta ahora: realizar teletrabajo, comprar el pan o escapar de Villena a través de Internet.

(El PAÍS Dominical, 29-9-1996.)

Explica el significado de las siguientes palabras y expresiones:

[1] ha puesto en marcha

[2] centro piloto

[3] centro virtual

[4] dispondrá de

[5] acceder a

[6] impensables

Imagina qué pasará en la futura ciudad virtual:

1. Probablemente haya, como mínimo, un ordenador en cada vivienda.

2. Seguramente todo el mundo estará conectado a Internet.

3. ....

4. ....

5. ....

Señala ventajas e inconvenientes del futuro virtual:

VENTAJAS	INCONVENIENTES
1.	
2.	
3.	
4.	

Un paso más

1 Escucha esta canción y completa la letra con las palabras que faltan.

Ojalá que .... café en el campo
que .... un aguacero de yuca y té
del cielo, una jarina de queso blanco
y al sur, una montaña de berro y miel.
Oh, oh, oh, oh,
ojalá que .... café.

Ojalá que .... café en el campo,
.... un alto cerro de trigo y maguey,
.... por la colina de arroz graneado

y continuar el arado con tu querer.
Oh, oh, oh, oh.

Ojalá el otoño, en vez de hojas secas,
.... mi cosecha de pitisalé,
.... una llanura de batata y fresas
ojalá que .... café.

Ojalá que .... café en el campo.
Ojalá que .... café en el campo.

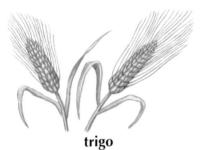

trigo

sembrar

batatas

cosecha

berro

arado

Ahora ya sabes

FUNCIONES

Expresar deseo. ☐

Expresar probabilidad. ☐

Expresar indiferencia. ☐

GRAMÁTICA

Presente de SUBJUNTIVO. ☐
Verbos irregulares. ☐
Ojalá + SUBJUNTIVO. ☐
Que + SUBJUNTIVO. ☐
A ver si + INDICATIVO. ☐
Como, cuando, donde… ☐
quieras.

VOCABULARIO

Informática. ☐

revisión

1 Acabas de recibir este telegrama. Coméntale a tu compañero(a) lo que dice:

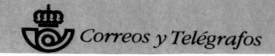

INDICACIONES
RECEPCIÓN

Correos y Telégrafos

Correos y

Correos y Telégrafos

```
ZCZC TSA519 TNW967 090000521
ESAD CO ESTT 025
MADRID TF TFDO DE ALCOBENDAS 025/023 24/10 10:51

                             2937
```

```
SALUDOS.. PAQUETE RECIBIDO. LLEGADA LUNES 21 HORAS. REUNION
DELEGADOS MARTES. CENA INFORMAL. RETROPROYECTOR NECESITO.
AZUAGA.
```

2 Completa con el pronombre necesario:

1. △ ¿Cuándo vas a entregar el informe?

○ Probablemente, mañana; todavía tengo que terminar............ .

2. △ ¿Has llamado a tus padres?

○ Sí, ... llamé esta mañana, pero no estaban. Volveré a intentar............ luego.

3. △ ¿ .... dijiste a Antonio que le esperamos en el restaurante?

○ Sí, esta mañana .... dejé un mensaje en su contestador. Imagino que .... habrá escuchado.

4. △ ¿Te has acordado de traer............ los libros?

○ Sí, ahora .... doy. .... tengo en el coche.

5. △ Llevo una hora intentando hablar con María, pero siempre está comunicando.

○ Pues lláma............ más tarde.

3 Completa con IR(SE), VENIR, TRAER o LLEVAR.

1. △ Bueno, ... , nos vemos mañana.

○ ¡Hasta luego!

2. △ ¿Te .... a casa?

○ No, no te molestes, voy a coger el metro… Pero gracias.

3. △ ¿...................... a la fiesta?

○ Lo siento, no puedo .... Llamaré a David para disculparme.

△ ¡Venga! Inténtalo.

○ No, de verdad, me resulta imposible.

4. △ ¿ .... el carrete a revelar?

○ No, todavía no. A ver si me acuerdo esta tarde…

revisión

4 Señala cuáles de los siguientes nombres se corresponden con las distintas secciones de un periódico:

☐ Nacional ☐ Bares de moda ☐ Presupuesto Nacional
☐ Viajes ☐ Cartelera ☐ Astronomía
☐ Economía ☐ Sociedad ☐ Metereología
☐ La Bolsa ☐ Cartas al director ☐ Ofertas segunda mano
☐ Bricolage ☐ Náutica ☐ Agenda
☐ Sucesos ☐ Anuncios ☐ Agricultura

5 Completa con las formas verbales correspondientes del presente de subjuntivo.

	YO	VOSOTROS / AS	ELLOS / ELLAS
andar			
pedir			
traducir			
conducir			
querer			
decir			
traer			
venir			
saber			
poder			

6 Completa con pretérito imperfecto, pretérito perfecto o pretérito pluscuamperfecto.

1. △ ¿Qué sabes de Isabel y Manolo?

○ Pues, Isabel (dar) .... a luz el lunes pasado.

△ ¡Ah! ¿Sí? ¿Y qué tal?

○ Todo (ir) .... muy bien. El niño (pesar) .... tres kilos.

△ ¿Y qué nombre le van a poner?

○ Cuando yo los (ver) .... , todavía no lo (decidir, ellos) .... , pero (pensar) .... llamarlo David.

2. △ ¿Qué tal los exámenes?

○ ¡Vaya! Ayer (hacer, yo) .... el último.

△ ¿Crees que aprobarás?

○ Espero que sí, pero no sé.

△ ¿Qué tal te (salir) .... ?

○ Bastante bien. No (ser) .... muy difícil, pero yo (estar) .... muy nervioso.

△ ¿Tienes ya las notas de los otros?

○ Esta mañana (ir, yo) .... a la facultad, pero todavía no (salir) ....

△ Pues ¡suerte!

revisión

7 Fíjate en este texto: La ley del alumno.

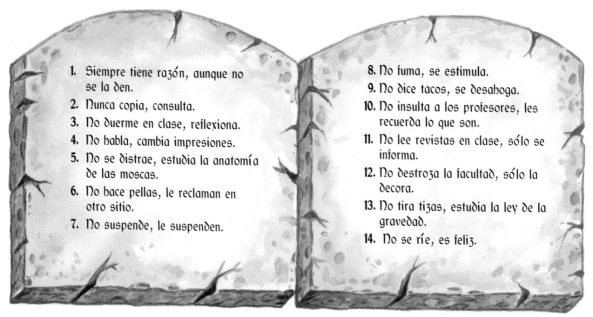

1. Siempre tiene razón, aunque no se la den.
2. Nunca copia, consulta.
3. No duerme en clase, reflexiona.
4. No habla, cambia impresiones.
5. No se distrae, estudia la anatomía de las moscas.
6. No hace pellas, le reclaman en otro sitio.
7. No suspende, le suspenden.
8. No fuma, se estimula.
9. No dice tacos, se desahoga.
10. No insulta a los profesores, les recuerda lo que son.
11. No lee revistas en clase, sólo se informa.
12. No destroza la facultad, sólo la decora.
13. No tira tizas, estudia la ley de la gravedad.
14. No se ríe, es feliz.

Bría y Arnau (1989), *Ética y convivencia*, Alhambra, Madrid.

Ahora, da algunos consejos como estos:

1. *No seas cabezota.*
2. *No copies en los exámenes.*
3. ....

8 Completa estos diálogos con los pronombres apropiados:

1. △ ¡No guardes la leche! ¿Es que no me oyes? Te estoy diciendo que no .... guardes.
   ○ ¡Vale, vale! No .... pongas así.

2. △ ¡No .... digas nada a Pablo! Ya .... llamaré yo mañana.
   ○ ¡Tranquila! No .... diré ni una palabra.

3. △ Voy a bajar el volumen de la tele…
   ○ No, no .... bajes si no quieres, que a mí no me molesta.

4. △ ¡No .... digas lo que tengo que hacer!
   ○ Y si no .... digo yo, ¿quién .... va a decir?

5. △ Me voy… ¿Pongo el contestador automático?
   ○ No, no .... pongas, que voy a quedarme en casa toda la tarde.

revisión

9 Completa con la primera persona del presente de subjuntivo.

1	tener	....	**6**	venir	....
2	hacer	....	**7**	poder	....
3	poner	....	**8**	volver	....
4	salir	....	**9**	dar	....
5	ir	....	**10**	prohibir	....

10 Completa con el presente de indicativo o de subjuntivo.

1. △ ¿(Venir, tú) .... ?
   ○ No, no (poder, yo) .... (Tener, yo) .... una entrevista
   para un trabajo.
   △ Pues que (tener, tú) .... suerte.
   ○ Gracias. Y tú, que te lo (pasar, tú) .... bien.

2. △ Puede que (ir, yo) .... al concierto.
   ○ ¿En serio? Pensé que ese tipo de música no te gustaba.
   △ Pues ya ves.

3. △ ¿Qué vino pedimos?
   ○ Pide el que (querer, tú) .... Tú eres la experta.

4. △ ¿Cómo es que no hay nadie?
   ○ No sé, igual (venir, ellos) .... más tarde.

5. △ ¿Te pongo azúcar en el café?
   ○ Me da igual. Como (querer, tú) .... La verdad es que me gusta
   con o sin azúcar.

6. △ Esta tarde juega el Real Madrid.
   ○ ¡Ojalá (ganar) .... !

7. △ ¡Qué extraño! No hay nadie en clase.
   ○ A lo mejor (estar, ellos) .... en el salón de actos.
   ¡Vamos a ver!

8. △ Posiblemente (ir, nosotros) .... a Panamá este verano.
   ○ ¡Qué suerte!

9. △ A ver si (terminar) .... el curso. ¡Estoy agotada!
   ○ Sí, yo también tengo ganas de que acabe.

10. △ ¿Tienes el teléfono de Aurora?
    ○ Voy a ver… A lo mejor lo (tener, yo) .... en la agenda.

UNIDAD **6** YO CREO, TÚ CREES...

¿Eres capaz de...?

¿Eres capaz de situar estas frases?

– ¿Cuándo nacerá el niño? ☐

– Has adelgazado, ¿no? ☐

– Voy a la farmacia a por aspirinas. ☐

– ¿Cómo va la alergia? ☐

Pretexto

DOS CAMAREROS EN UN BAR.

△ No tienes muy buena cara, ¿cómo va la alergia?

○ La verdad es que **de mal en peor**. Ya no sé qué hacer...

△ ¿Has ido al médico?

○ ¡Claro! Me vacunaron en febrero, pero... **como si nada**. No me ha hecho ningún efecto...

△ ¿Desde cuándo tienes alergia?

○ De toda la vida. Cuando era niño, íbamos a veranear a un pueblo de la sierra y allí, con el aire de la montaña, mejoraba algo, pero, en cuanto volvíamos a la ciudad..., otra vez igual. Y lo peor es que en los últimos años incluso tengo fiebre...

DOS PROFESORES EN LA FOTOCOPIADORA.

△ ¡Estoy hecho polvo!

○ ¿Y eso?

△ Pues mira, no sé qué me pasa, pero me levanto cansado, me acuesto cansadísimo… No sé, quizá sea la primavera, ya sabes…

○ ¿Por qué no tomas unas vitaminas? Es evidente que necesitas tomar algo, no puedes seguir así.

△ Bueno, luego iré a la farmacia a comprar algo.

DOS AMIGAS EN LA PELUQUERÍA.

△ Se ve usted **muy linda** embarazada. Se le **endulzan** tanto **las facciones**…

○ Es que engordan.

△ Pues sí, es que hay cosas que ni remedio. ¿Cómo va una a **estar esperando** y delgada? Yo no conozco una sola mujer que se vea fea cuando está esperando.

○ Yo, muchas.

△ ¿Tú, muchas? ¿A quiénes conoces que se vean feas esperando un hijo?

○ A muchas, Chofi, no vas a querer que te las nombre.

△ Tú, con tal de **llevarme la contra**.

ÁNGELES MASTRETTA (1990), *Arráncame la vida.*

> · **Muy linda:** muy guapa.
> · **Endulzársele las facciones:** tener una expresión más dulce.
> · **Estar esperando:** estar embarazada.
> · **Llevar la contra:** llevar la contraria; ser de otra opinión.

DOS AMIGAS EN UN PARQUE.

△ ¡Oye! Parece que has adelgazado, ¿no?

○ Sí, estoy haciendo un régimen. Verás, tres días por semana, como sólo fruta y el resto de la semana, como lo normal.

△ Ten cuidado, las dietas rápidas no son buenas para la salud. No creo que sea bueno que sigas con esa dieta. ¿Por qué no vas al médico?

○ Esa es tu opinión, pero yo he seguido esta dieta desde hace cinco años y nunca he tenido ningún problema.

Cara a cara

1 Relaciona las expresiones con su equivalente y completa los diálogos.

1. De mal en peor.	A. ¿Por qué? (Con matiz de sorpresa)
2. Como si nada.	B. Estoy agotada / deprimida.
3. ¡Estoy hecha polvo!	C. Cada día peor.
4. ¿Y eso?	D. Como si no pasara / hubiera pasado nada.

1. △ ¿Cómo se encuentra la niña?

○ ....

2. △ Bueno, yo me voy.

○ ....

△ Es que he quedado con Juan.

3. △ ....

○ ¿Por qué no te vas unos días de vacaciones? Te vendría bien descansar un poco.

4. △ ¿Le has dicho que no vuelva a coger el coche?

○ Sí, pero .... Siempre hace lo que quiere.

2 Completa con alguna de las expresiones del recuadro.

A. Estoy embarazada.	D. Tiene anemia.
B. Estoy siguiendo una dieta.	E. Has adelgazado.
C. Sí, va a hacerme análisis de sangre.	

1. △ ¿Has ido al médico?

○ ....

2. △ Tengo algo importante que decirte: ....

○ ¡Estupendo!

3. △ .... ¿no?

○ Sí, tres kilos.

△ ¿Y cómo lo has conseguido?

○ ....

4. △ ¿Cómo están los análisis, doctor?

○ Le falta hierro… ....

Gramática

VERBOS DE ENTENDIMIENTO, PERCEPCIÓN Y LENGUA + INDICATIVO / SUBJUNTIVO

Todos estos verbos y sus sinónimos funcionan de la siguiente manera:

a) V(1) AFIRMATIVO + QUE + V(2) INDICATIVO

△ ¿Has visto a Luis?

○ Creo que está en la biblioteca.

b) V(1) NEGATIVO + QUE + V(2) SUBJUNTIVO

△ ¿Crees que podremos ir a la playa?

○ Sí, no creo que llueva.

ENTENDIMIENTO	SENTIDO	LENGUA
acordar(se) de	comprobar	afirmar
considerar	darse cuenta de	comentar
creer	descubrir	comunicar
deducir	percibir	confesar
descubrir	observar	contar
entender	oír	**decir**
imaginar(se)	**sentir**	narrar
intuir	ver	declarar
olvidar		explicar
opinar		indicar
pensar		mencionar
recordar		responder
saber		señalar
soñar		sostener
suponer		

PREGUNTAS RETÓRICAS

¿NO CREES QUE + INDICATIVO?

△ ¿No crees que Pilar **está** mucho más guapa este año?

○ Si tú lo dices…

En realidad no estoy preguntando, sino afirmando que, en mi opinión, Pilar está mucho más guapa este año.

PRETÉRITO PERFECTO DE SUBJUNTIVO

(yo)	haya	
(tú)	hayas	
(él / ella, usted)	haya	**+ PARTICIPIO**
(nosotros / as)	hayamos	
(vosotros/ as)	hayáis	
(ellos / ellas, ustedes)	hayan	

△ ¡Qué raro que no haya llegado Luis!
○ A lo mejor se ha retrasado el avión. ¡No te preocupes!

PEDIR LA OPINIÓN

· ¿Qué opinas de / sobre…?
· ¿Qué crees de…?
· ¿Cuál es tu opinión sobre…?
· ¿Cuál es tu punto de vista sobre…?
· ¿Qué opinión te merece…?
· Me gustaría saber qué piensas de…
· Dime la verdad. ¿…?
· Dime lo que piensas de…
· A ti, ¿qué te parece?

DAR LA OPINIÓN

· Creo que…
· Opino que…
· La verdad es que…
· Me parece que…
· Supongo que …
· En mi opinión, …
· Desde mi punto de vista, …
· Para mí, …
· Pienso que…

PARA VALORAR Y OPINAR.

ES PARECE + | seguro / cierto / indudable / indiscutible / obvio / verdad / evidente | **+ QUE + INDICATIVO**

△ Parece evidente que tienes problemas, ¿puedo ayudarte en algo?
○ Me temo que no.

ESTÁ + | claro / visto / demostrado | **+ QUE + INDICATIVO**

△ ¿Sigues fumando? Ya sabes que está demostrado que el tabaco provoca cáncer, ¿no?
○ Sí, ya lo sé…

DECIR + INDICATIVO

△ ¿Qué dice?
○ Nada, (dice) que está cansada.

COMUNICAR

SENTIR + INDICATIVO

△ ¿Qué pasa?
○ ¿No oyes unos pasos? Siento que se acerca alguien.

NOTAR, OÍR

DECIR + SUBJUNTIVO

△ ¿Viene ya?
○ No, dice que vayamos nosotros, que ella irá más tarde.

PEDIR, RECOMENDAR

SENTIR + SUBJUNTIVO

△ Siento que no hayas aprobado el examen…
○ ¡No te preocupes! Otra vez será.

LAMENTAR

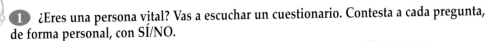

Vamos a practicar

1 ¿Eres una persona vital? Vas a escuchar un cuestionario. Contesta a cada pregunta, de forma personal, con SÍ/NO.

	SÍ	NO
1.		
2.		
3.		
4.		

	SÍ	NO
5.		
6.		
7.		
8.		

2 Completa con el tiempo adecuado de indicativo o subjuntivo.

1. △ ¿Has visto a Rocío? Llevo diez minutos buscándola.

    ○ Creo que (estar, ella) .... en una reunión en la sala de juntas.

    △ ¿Y sabes a qué hora terminará?

    ○ No, pero supongo que no (terminar) .... más tarde de las dos.

2. △ Ha llamado tu mujer.

    ○ ¿Y qué ha dicho?

    △ Que esta tarde no (tener, tú) .... clase de golf y que no (llegar, tú) .... tarde a casa, que tenéis invitados.

3. △ Es evidente que (tener, nosotros) .... que abaratar los precios. Ya has visto los resultados del mes pasado…

    ○ Sí, está visto que la crisis nos (afectar) .... a todos…

4. △ He descubierto que (hablar, yo) .... cuando estoy durmiendo.

    ○ ¿En serio?

5. △ Dime la verdad, ¿qué opinas sobre el proyecto?

    ○ Pues creo que (ser) .... muy interesante, pero no me parece que (ser) .... viable en las circunstancias actuales. ¿No crees que el presupuesto (ser) .... demasiado alto?

6. △ No sabes cuánto siento que no (poder, vosotros) .... venir… Me han dicho que el espectáculo (ser) .... muy bueno… .

    ○ Yo también lo siento, pero no puedo, en serio.

7. △ ¿Te has dado cuenta de que todavía no (enviar, tú) .... el regalo para la boda de Luis?

    ○ Ya, ya lo sé… Pensaba hacerlo mañana.

8. △ No entiendo que la gente (ser) .... tan poco flexible, ¿has visto la reacción de Ángel?

    ○ Bueno, no todos somos así.

3 Acabas de recibir un correo electrónico de Marisa. Léelo y completa el diálogo con INDICATIVO O SUBJUNTIVO.

> Queridos Isabel y Fernando: ya sé que no habéis tenido noticias mías en todo el mes, pero, como podéis imaginar, he estado muy ocupada. Tardé dos días en encontrar alojamiento y una semana en acostumbrarme a esta maravillosa ciudad y a su gente. Londres es demasiado grande para mí. Bien, no quiero aburriros. Llegaré el sábado por la mañana en el avión de las diez, ¿podríais ir a buscarme? Tengo muchísimo equipaje. Por cierto, he conocido a un chico estupendo, se llama Mark y es australiano, trabaja como periodista. Probablemente vaya a España en septiembre. Ya os contaré.
> Un beso, Marisa.

△ Mira, acabo de recibir un correo de Marisa… **¡Ya era hora!**

○ ¿Y qué dice?

△ Pues dice que (llegar, ella) .... el sábado en el avión de las diez y que (ir, nosotros) .... a recogerla, porque trae mucho equipaje.

△ ¿Y no cuenta nada de su viaje?

○ Sí, mira… Dice que (conocer) .... a un chico australiano, que (ser, él) .... muy majo y que probablemente (venir, él) .... en septiembre.

△ Pues me parece muy bien, porque ya es hora de que **siente la cabeza**; tiene treinta y dos años.

○ ¡No exageres! También comenta que el curso (ser) .... muy bueno y que (aprender, ella) .... mucho.

△ ¡Seguro! Con un australiano…

○ ¿No crees que (ser, tú) .... un poco pesada?

> **¡Ya era hora!:** hace tiempo que lo estábamos esperando.
>
> **Sentar la cabeza:** estabilizarse.

4 ¿Qué opináis sobre las llamadas "parejas de hecho"?

PAREJAS DE HECHO

En España hay cada vez más personas que viven juntas sin estar casadas. Son las llamadas parejas sentimentales o parejas de hecho. El Gobierno ha aprobado una ley para regular los derechos y obligaciones de estas parejas. Se está teniendo en cuenta, sobre todo, la legislación de los países escandinavos: Suecia, Noruega y Dinamarca, que han tomado la iniciativa en este tema. La ley afectará tanto a parejas homosexuales como a las heterosexuales.

A FAVOR

EN CONTRA

----

5 Lee el siguiente texto:

En España, 50.000 personas han sido elegidas como candidatas al nuevo tribunal popular. Se ha convocado a 50 candidatos para cada uno de los mil casos judiciales que están pendientes de resolución. Al menos, veinte de ellos deberán estar presentes el día del juicio, pero sólo once serán los elegidos, dos de ellos, como suplentes. Cada uno de ellos recibirá entre 10.000 y 15.000 pesetas por día y la recompensa añadida de pasar a la historia por haber sido miembros de los primeros jurados populares en España. Sin embargo, hay opiniones contradictorias sobre la eficacia de los jurados populares.

¿Cuál es tu opinión sobre los jurados populares? ¿Has participado en alguno?
¿Existe esta modalidad en tu país?

A FAVOR	EN CONTRA
------------------------------	------------------------------
------------------------------	------------------------------
------------------------------	------------------------------

6 La ex-mujer de Juan Álvarez Martínez fue asesinada en su domicilio particular de Madrid el martes por la tarde. Tres meses antes se había separado de su marido y estaba tramitando el divorcio. Familiares y vecinos creen que el autor de los hechos fue su ex-marido, Juan Álvarez.

¿CULPABLE O INOCENTE?

JUEZA	ACUSADO
Dña. Rosario García Sánchez.	D. Juan Álvarez Martínez.

TESTIGO 1	ABOGADO
Dña. María Vargas López. Hermana de la víctima. La víctima le confesó dos días antes que había recibido amenazas de su ex-marido.	D. Óscar de la Torre. Defiende que el acusado se encontraba fuera de Madrid, en viaje de negocios, el día de los hechos.

TESTIGO 2	TESTIGO 3
Dña. Concepción Sánchez. Compañera de trabajo y posible amante del acusado. Su teléfono móvil tiene registrada una llamada telefónica del acusado desde Ávila.	D. Leocadio Martín. Vecino de la víctima. El lunes escuchó una discusión entre Juan Álvarez y su ex-mujer.

PARA AYUDARTE:

· **Juicio:** acto público en que se quiere saber la verdad sobre unos hechos.

· **Juez(a):** persona autorizada para juzgar.

· **Jurado (popular):** grupo de personas que determina la culpabilidad o inocencia.

· **Acusado(a):** persona a la que se culpa de algún hecho.

· **Abogado(a):** persona autorizada para defender a un acusado.

· **Prueba:** medio para demostrar la verdad de algo.

· **Coartada:** prueba con la que un acusado demuestra que no ha estado presente en el lugar de los hechos.

· **Veredicto:** decisión del jurado.

Se dice así

1 Escucha las siguientes conversaciones en la clínica del doctor Escudero y completa.

PACIENTE	ENFERMEDAD	SÍNTOMAS
1	------------------	------------------
2	------------------	------------------
3	------------------	------------------

2 Completa esta conversación en la consulta del médico. Utiliza las palabras y expresiones del recuadro.

catarro
resultados
me desvelo
espalda
pastillas
análisis de sangre
síntomas
resfriada
dolor
analgésicos
tensión
recetarte

△ ¡Hola, María! ¡Cuánto tiempo sin verte! ¿Cómo están los niños?

○ Todos bien… Bueno, la niña está un poco ....(1)............ ; seguramente es un ....(2).......... primaveral.

△ Dime, ¿en qué puedo ayudarte?

○ Verás, hace días que no me encuentro bien; en realidad, no sé qué me pasa…

△ ¿Qué ....(3).......... tienes?

○ Me duelen mucho las piernas, cualquier esfuerzo me agota, me levanto con ....(4)........... de cabeza, me molesta la ....(5)......... … En fin, **estoy hecha un asco.**

△ ¿Has tomado ....(6)................ ?

○ Sí, pero no me ayudan mucho.

△ ¿Qué tal duermes?

○ Pues me acuesto muy cansada, pero a medianoche ....(7)............... y después ya no puedo dormirme.

△ ¿Qué tal andas de apetito?

○ Eso bien, como lo normal, como siempre.

△ Los últimos ....(8)........................ los hicimos hace seis meses… Vamos a repetirlos.

○ ¿Y mientras tanto?

△ Primero voy a tomarte la ....(9)........... , y voy a ....(10).......... una pomada para la espalda y unas ....(11)................ . De todas formas, no debes preocuparte.

○ ¿Nos vemos, entonces, la semana que viene?

△ Sí, cuando estén listos los ....(12)........... de las pruebas. Yo te avisaré.

○ ¡Gracias, doctor!

> **estoy hecha un asco:** no me encuentro nada bien.

Un paso más

1 Lee el siguiente texto:

Defensas mentales contra la enfermedad

Nadie ignora la influencia[1] recíproca de la mente sobre el cuerpo y del cuerpo sobre la mente. Las dolencias físicas provocan abatimiento[2] y depresión[3] y, a la inversa, el malestar psíquico es motivo de enfermedades orgánicas. Además, el pesimismo y la claudicación[4] no contribuyen a la curación[5] de una enfermedad, mientras que, por el contrario, una actitud positiva acelera[6] el proceso de curación y puede ayudar a combatir[7] y prevenir[8] las enfermedades y dolencias físicas.

Se ha demostrado que la psicoterapia, el consejo y el trabajo en grupo mejoran los tratamientos[9] en personas con cáncer. Sin embargo, no está demostrado que las personas con síntomas[10] depresivos presenten un índice de mortalidad mayor de lo normal, ni tampoco que un determinado tipo de personalidad favorezca[11] la aparición del cáncer.

Aun así, se abre una puerta a la esperanza: las defensas mentales pueden ayudar a combatir las alergias[12], el cáncer y las enfermedades infecciosas.

(1) **influencia:** relación, dependencia.

(2) **abatimiento:** cansancio.

(3) **depresión:** estado psíquico caracterizado por una gran tristeza.

(4) **claudicación:** derrota.

(5) **curación:** recuperación de la salud.

(6) **acelera (< acelerar):** aumentar la velocidad de un proceso.

(7) **combatir:** luchar.

(8) **prevenir:** evitar antes de que ocurra.

(9) **tratamiento:** sistema curativo que se emplea para mejorar una enfermedad.

(10) **síntoma:** alteración del organismo causada por una enfermedad.

(11) **favorezca (< favorecer):** propiciar.

(12) **alergia:** problema respiratorio o de la piel causado por reacción a algo externo.

1. ¿Cuál es tu opinión sobre la influencia de la mente en el estado del organismo?

2. ¿Has tenido alguna experiencia que demuestre lo que afirma el texto?

3. ¿Conoces a alguien que tenga o haya tenido alguna enfermedad grave? ¿Crees que su actitud vital influyó en la evolución de la enfermedad?

¡FÍJATE!

Se ha demostrado que la psicoterapia, el consejo y el trabajo en grupo **mejoran** los tratamientos en personas con cáncer.

Sin embargo, **no está demostrado que** las personas con síntomas depresivos **presenten** un índice de mortalidad mayor de lo normal…

Ahora ya sabes

FUNCIONES

Opinar y valorar. ☐

Añadir un punto de vista. ☐

Asegurar. ☐

Realizar preguntas retóricas. ☐

GRAMÁTICA

Verbos de entendimiento, percepción y lengua + IND. / SUBJUNTIVO. ☐

Ser / parecer + evidente, seguro, etc. ☐

Estar + claro / visto… ☐

Decir. ☐

Sentir. ☐

¿No crees que + INDICATIVO? ☐

VOCABULARIO

La justicia. ☐

Las enfermedades. ☐

¡QUÉ RARO QUE ESTÉ CERRADO!

¿Eres capaz de...?

¿Eres capaz de situar estas frases?

– ¡Qué raro que no esté abierto! ☐

– ¡Vaya semana que he tenido! ☐

– Me molesta que la gente fume en todas partes. ☐

– ¿Cómo es que todavía no ha llegado Raquel? ☐

Pretexto

EN LA PUERTA DEL CINE.

△ **¿Cómo es que** todavía no ha llegado Raquel? La película está a punto de empezar...

○ ¿A qué hora habías quedado con ella?

△ A las seis y media. Me extraña que no haya llegado.

○ Es posible que haya tenido problemas para aparcar el coche...

△ No, no creo. Cuando quedamos en el centro, siempre viene en metro.

EN LA PUERTA DE UNA CAFETERÍA.

△ ¡Qué raro que no esté abierto!

○ ¿A qué hora abren normalmente?

△ A las diez y media… Me extraña que no hayan puesto un aviso **o algo así.**

○ A lo mejor abren un poco más tarde… Como es domingo…

△ Precisamente los domingos es cuando más gente viene.

○ ¡Venga! Vamos al bar que hay en la esquina…

EN LA OFICINA.

△ ¿Qué te pasa?

○ Nada, que no soporto que la gente sea tan maleducada.

△ Pero… ¿qué ha pasado?

○ Pues que había un error en el informe y el jefe se ha puesto histérico, y yo creo que **no es para tanto**, ¿no?

EN LA CLASE DE ESPAÑOL.

△ Bárbara, ¿qué es lo que más te molesta de los españoles?

○ Pues me molesta mucho que fumen en todas partes. En Estados Unidos, en los restaurantes, siempre hay una zona reservada para los no fumadores y eso me gusta.

△ ¿Y a ti, Helga?

□ Pues hay algo que no sé todavía si me molesta o no, pero me sorprende mucho, que la gente se bese tanto en todas partes, bueno, las parejas.

◇ Sí, a mí me molesta cuando estoy en el metro, porque no sé adónde mirar.

△ Chiara… no has dicho nada.

□ Bueno, a mí me gustan mucho los españoles, son tan parecidos a los italianos… Pero me fastidia que no tengan paciencia cuando estoy intentando hablar en español.

△ ¡Yoko! Y a ti, ¿qué te molesta?

□ Bueno, a mí me pone nerviosa que hablen tan alto y que se acerquen mucho a mí, porque en Japón la distancia personal normalmente es mayor.

Cara a cara

1 Fíjate en las expresiones del recuadro y relaciona las dos columnas.

1. ¡No es para tanto!	A. Algo similar.
2. ¡Vaya... + NOMBRE!	B. ¿Por qué ...?
3. ¿Cómo es que...?	C. No es tan grave como piensas o parece.
4. ...O algo así.	D. ¡Qué ...!

2 Completa el siguiente diálogo con expresiones del recuadro del ejercicio anterior.

△ ¡ .....(1)........... desastre! ¡Me han quitado la antena del coche. ¡Es la segunda vez que me pasa!

○ ¡Hombre, ya sé que es una lata! Pero...

△ ¿Pero qué?

○ ¡Nada, hombre! ¡No te pongas así! ¿ ....(2)................. la dejaste puesta? Yo, normalmente, la guardo dentro del coche.

△ Pues llegué a las tantas y se me olvidó. ¡Todo lo malo me tiene que pasar siempre a mí!

○ ¡Venga, Raúl, ...(3)...........................!

3 Completa con las frases del recuadro.

A. ¡Me extraña que no esté abierto todavía!	D. Y a ti, ¿qué te molesta?
B. ¿A qué hora habíais quedado?	E. ¡Vaya semana!
C. A las diez y media.	

1. △ ....

○ ¿A qué hora abren normalmente?

△ Los domingos,................................... .

2. △ ¿ .... ?

○ A las seis.

△ Pues no creo que tarde.

3. △ ¡ .... ! Tengo unas ganas de que termine...

○ Sí, la verdad es que no hemos parado.

4. △ ....

○ Que no tengan paciencia cuando tengo problemas para expresarme. ¡Es que no lo soporto!

Gramática

VERBOS Y LOCUCIONES DE SENTIMIENTO + INFINITIVO / SUBJUNTIVO

PENA
sentir
lamentar
doler*
apenar*
entristecer*

ENFADO
enfadar*
molestar*
fastidiar*
no soportar
poner de mal humor*
no aguantar

DESEO
querer
desear
preferir
apetecer*
tener ganas de

VERGÜENZA
avergonzarse de
avergonzar*
dar vergüenza*

GUSTO
gustar*
encantar*
entusiasmar*

SENTIMIENTOS

MIEDO
temer
tener miedo de / a

EXTRAÑEZA
extrañar*
sorprender*

ALEGRÍA
alegrarse de
alegrar*

CONFORMIDAD
conformarse con
contentarse con
resignarse a

△ *¿Qué te pasa?*
○ *Nada, que no **soporto que la gente sea** tan desagradecida.*

¡OJO!   Los verbos con * se utilizan en la tercera persona del singular o del plural.

Siempre que el VERBO (1) sea de sentimiento o similar, seguiremos la siguientes reglas:

a) V(1) + V(2) INFINITIVO (sujetos iguales)
– ***Siento llegar*** *tarde, es que he perdido el autobús.*
(Siento YO llegar YO tarde)

b) V(1) + QUE + V(2) SUBJUNTIVO (sujetos diferentes)
– ***Siento que no puedas*** *venir a la cena.*
(Siento YO que TÚ no puedas venir a la cena)

EXPRESAR VALORACIONES Y OPINIONES

SER ESTAR PARECER	+	nombres adjetivos	+	INFINITIVO QUE + SUBJUNTIVO

 ¡OJO! Todos los nombres, adjetivos y adverbios excepto los que vimos en la unidad 6 (verdad, claro, evidente, seguro, indudable, cierto, etc).

△ *¿Qué te parece si llamamos a la policía?*
○ **Es mejor que esperemos** *un rato, a ver qué pasa.*

Adjetivos: *bueno, malo, mejor, peor, fácil, difícil, conveniente, necesario, curioso, raro, extraño, normal, probable, improbable, posible, imposible, estupendo, magnífico, maravilloso, imprescindible, esencial, indispensable, sorprendente, justo, injusto, ridículo, útil, inútil, terrible, horroroso, lógico,* etcétera.

Nombres: *un fastidio, una lata, una pena, una suerte, una ventaja, una barbaridad, una tontería, una estupidez, una coincidencia, un disparate, una bobada, una locura, mentira,* etcétera.

EXPRESAR SORPRESA

· *¿Sí...? ¿De verdad? ¿En serio?*
· *¡Es increíble!*
· *¡No me digas!*
· *¿Bromeas?*
· *¿Lo dices en serio?*
· *¿Cómo es posible?*
· *¡No me lo puedo creer!*

EXPRESAR ABURRIMIENTO

· *¡Qué rollo!*
· *¡Qué lata!*
· *Es que siempre es lo mismo.*
· *¡Qué pesadez!*
· *¡Qué muermo!* (coloquial)

Vamos a practicar

1 Escucha y anota las razones por las que Ana va a pedirle el divorcio a Luis.

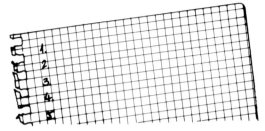

2 Vas a escuchar un diálogo en el Aeropuerto Internacional de La Aurora, en la ciudad de Guatemala. Completa el diálogo con las palabras que escuches.

△ ¿Qué tal, ... ?

○ Bien, y vos, ¿qué hacés por .... ?

△ Vengo a .... a mi hermano, que viene de Estados Unidos y pasará
  con nosotros este ....

△ No sabía que tenías un hermano que viviera fuera.

○ Sí, se fue hace diez meses y hoy vuelve por primera vez.

3 Completa con indicativo, subjuntivo o infinitivo.

1. △ ¿Qué te pasa?
   ○ Que no soporto que la gente (ser) .... tan agresiva.

2. △ ¿Qué quieres que (hacer, nosotros) ....?
   ○ Me apetece que (ir, nosotros) .... al cine. ¿Tienes ganas de (ver)
     .... la nueva película de Jodie Foster?

3. △ Mira, no aguanto que la casa (estar) .... tan desordenada. ¿Es que no
     puedes dejar las cosas en su sitio?
   ○ ¡No te pongas así, que no es para tanto!

4. △ Me sorprende que María no (venir) .... a la boda. Estaba invitada, ¿no?
   ○ Bueno, si yo fuera la ex-novia, habría hecho lo mismo.

5. △ ¿Estás lista?
   ○ Creo que sí, pero me da tanta vergüenza (hablar) .... en público…

6. △ Siento (llegar) .... tarde, es que el tráfico…
   ○ Pasa, pasa, todavía no hemos empezado.

7. △ ¡Es una lata que (haber) .... huelga de autobuses! No sé cómo voy a ir al
     trabajo.
   ○ ¿Te llevo?

8. △ Me parece un disparate que (ir, vosotros) .... a Sevilla en coche,
     está demasiado lejos. ¿Por qué no vais en tren?
   ○ Bueno, lo pensaré…

4 Reacciona con una expresión de sorpresa, aburrimiento o alegría.

5 Con tu compañero(a) establece una conversación para la siguiente situación:

<table>
<tr><td colspan="1" align="center">ALUMNO A</td></tr>
<tr><td>Eres un estudiante. Llegas a la facultad y el servicio de fotocopias está cerrado. Son las doce de la mañana y no es normal. Vas a la conserjería y preguntas qué ha pasado.</td></tr>
<tr><td align="center">ALUMNO B</td></tr>
<tr><td>Eres el conserje de la facultad y sabes que está cerrado porque la persona encargada está tomando un café y no ha dejado sustituto.</td></tr>
</table>

6 Utilizamos SE + VERBO (3ª PERSONA del PRESENTE), para indicar impersonalidad. Fíjate en las señales de tráfico e indica lo que significa cada una de ellas. Utiliza la estructura del modelo.

– No se puede girar a la derecha.

7 ¡Vamos a hacer comparaciones, aunque hay un dicho en español que dice que son odiosas! Pide ayuda a tu profesor(a).

¡Las comparaciones son odiosas!

*El nivel de vida de los mexicanos es **más alto que** el de los polacos.*
*El alquiler de un piso en las afueras cuesta **menos que** en el centro.*
*La película no es **tan buena como** pensaba.*

1. △ ¿Te presentaron a la novia de Juan?
  ○ Sí, pero no es .... guapa .... me dijiste.
  △ Pues a mí sí que me parece muy atractiva.

2. △ Anoche fuimos al cine.
  ○ ¿Qué te pareció la película?
  △ Bueno, fue .... buena .... dicen las críticas.

3. △ ¿Es muy caro?
  ○ Sí, bastante, pero no .... pensaba.

4. △ Este coche me gusta .... el deportivo que se ha comprado María.
  ○ Ya, pero el de María no es .... caro .... éste, ¿no?

5. △ Has adelgazado, ¿no?
  ○ Un poco, dos o tres kilos.
  △ ¿Y cómo lo has conseguido?
  ○ Ahora hago .... ejercicio .... antes.

8 Completa con alguna de las siguientes preposiciones. Pide ayuda a tu profesor(a).

POR

PARA

1. △ ¿Es muy caro?
  ○ Lo he comprado .... (=precio) 25.000 ptas.

2. △ He traído las fotos del viaje .... (=con el fin de) que las veas.
  ○ ¡Qué bien!

3. △ Pasaré .... (=tiempo) la tarde, a eso de las seis, ¿te va bien?
  ○ ¡Perfecto! Te espero.

4. △ Pedro no puede ir a la reunión.
  ○ ¡No te preocupes! Iré yo .... (=en lugar de) él.

5. △ Han traído un paquete .... (=destinatario) Luisa.
  ○ Déjalo sobre la mesa, por favor.

6. △ Me han puesto una multa.
  ○ ¿Y eso?
  △ .... (=a causa de) aparcar en doble fila.

Se dice así

 1 Escucha el siguiente fragmento de la obra teatral *Bajarse al moro* (J.L. Alonso de Santos, 1985) y fíjate en el vocabulario.

CHUSA: ¿Se puede pasar? ¿Estás visible? **Que mira**, ésta es Elena, una amiga muy **maja**. Pasa, pasa Elena. Éste es Jaimito, mi primo. Tiene un ojo de cristal y hace sandalias.

ELENA: ¿Qué tal?

JAIMITO: ¿Quieres también mi número de carnet de identidad? ¡No te digo! ¿Se puede saber dónde has estado? No viene en toda la noche, y ahora tan **pirada** como siempre.

CHUSA: He estado en casa de ésta. **¿A que sí, tú?** No se atrevía a ir sola a por sus cosas por si estaba su madre, y ya nos quedamos allí a dormir. ¿Quieres un **bocata**?

JAIMITO: **¡Ni bocata ni leches!** Te llevas las **pelas** y las llaves, y me dejas aquí **colgao, sin un duro...** ¿No dijiste que ibas a por papelillo?

CHUSA: Iba a por papelillo, pero me encontré a ésta, ya te lo he dicho. Y como estaba sola...

JAIMITO: ¿Y ésta quién es?

CHUSA: Es Elena.

ELENA: Soy Elena.

JAIMITO: Eso ya lo he oído, que no soy sordo.

ELENA: Sí, Elena.

JAIMITO: Que quién es, **de qué va**, de qué la conoces ...

CHUSA: De nada. Nos hemos conocido anoche, ya te lo he dicho.

J.L. ALONSO DE SANTOS,
Bajarse al moro, (1994) Cátedra, Madrid.

Escena de una representación de *Bajarse al Moro*.

- **Que mira:** voy a explicarte algo.
- **¡No te digo!:** negación enfática, rechazo.
- **Pirada:** loca.
- **Bocata:** bocadillo.
- **¡Ni bocata ni leches!:** negación enfática.
- **¿A que sí, tú?:** tengo razón, ¿verdad?
- **Pelas:** dinero.
- **Colgao:** (coloquial) sin medios.
- **Sin un duro:** sin dinero.
- **Papelillo:** papel para cigarrillos, dosis de droga.
- **De qué va:** a qué se dedica.

En grupos de tres, representad este fragmento teatral.

Un paso más

1 Dile a tu profesor(a) que te enseñe esta canción popular que suelen interpretar las tunas.

FONSECA

Triste y sola,
sola se queda Fonseca,
triste y llorosa
queda la Universidad.
Y los libros,
y los libros empeñados
en el Monte,
en el Monte de Piedad.

¿No te acuerdas cuando te decía,
a la pálida luz de la luna,
yo no puedo querer más que a una
y esa una, mi vida, eres tú?
Y los libros,
y los libros empeñados
en el Monte
en el Monte de Piedad.

Fonseca: Universidad de Santiago de Compostela y Palacio de Fonseca en la Universidad de Salamanca.

Monte de Piedad: lugar en el que se dejan temporalmente objetos de valor a cambio de dinero.

2 ¿Quieres saber algo más sobre la tuna? Lee el siguiente texto:

LA TUNA

Una de las más originales tradiciones enraizadas en las universidades españolas es la de mantener grupos musicales, denominados tunas, constituidos por estudiantes. La palabra *tuna* significa vida holgazana, libre y vagabunda. La tuna es una estudiantina, es decir, un grupo de estudiantes integrado por 20 ó 30 instrumentistas de laúd, guitarra, violín, pandereta y palillos, que sale tocando y cantando por las calles para divertirse y recoger algún dinero que las gentes suelen darles por su actuación.

La tuna es, por encima de todo, una institución universitaria de carácter cultural que mantiene vivas las costumbres heredadas de los estudiantes españoles del siglo XIII; es, además, un punto de encuentro para todos los universitarios amantes del romanticismo, la noche, la música y los viajes. En sus orígenes agrupaba a todos aquellos estudiantes que no podían costearse su estancia en la universidad, y cantaban por los mesones para conseguir algo de dinero y un plato de sopa con los que mantenerse, por esta razón se les llamaba *sopistas*.

Hoy en día, la tuna ha perdido su función de medio de vida de los estudiantes que la integran (aunque todavía hay algunos tunos que se pagan los estudios con lo que obtienen de ella).

1. ¿Qué es una tuna?
2. ¿Dónde se encuentra su origen?
3. ¿Cuál es su función?
4. ¿Por qué se les llamaba sopistas?

Ahora ya sabes

FUNCIONES	GRAMÁTICA	VOCABULARIO
Expresar preferencias, gustos, pena, enfado, frustración. ☐	Verbos de sentimiento + INFINITIVO / SUBJUNTIVO ☐	Coloquialismos juveniles. ☐
Valorar y opinar. ☐	*Ser / Estar / Parecer* + adjetivo / sustantivo + INFINITIVO / SUBJUNTIVO ☐	La tuna y sus canciones. ☐
Expresar sorpresa. ☐		
Expresar aburrimiento. ☐	Preposiciones ☐	

¡TE ACONSEJO QUE VAYAS EN METRO!

¿*Eres capaz de...*?

¿Eres capaz de situar estas
frases?

– ¿Dónde es la reunión? ☐
– Yo, en tu lugar, iría en metro. ☐
– ¿Me permite que le ayude? ☐
– ¡Menudo tráfico! ☐

Pretexto

EN EL BANCO.

△ ¡Hola! **Verá**, durante los dos últimos años, la
declaración de la renta me ha salido positiva.
Este año tengo que pagar a Hacienda 455.000
pesetas… **Como verá**, una barbaridad.

○ ¿Tiene un fondo de pensiones?

△ No.

○ Pues le recomiendo que abra uno. Puede desgravar
hasta un 15% .

△ Sí… Yo había pensado abrir una cuenta especial
para comprar una casa, ¿cómo se llama?

○ Una Cuenta Ahorro Vivienda.

△ **Sí, eso**. ¿Puede decirme qué ventajas fiscales tiene?

EN EL TRABAJO.

△ **¡Qué lío!** Resulta que había olvidado que hoy era nuestro aniversario… ¡María va a matarme!

○ **¡Hombre**, todavía tienes tiempo para comprarle unas flores!

△ No, si el problema no son las flores, el problema es que he quedado con el jefe para jugar al golf. ¿Qué hago?

○ **Yo que tú**, le mandaría a María un ramo de flores a la oficina y, mientras tanto, reservaría una mesa en un restaurante.

EN LA PUERTA DE CASA.

△ **Bueno**, me voy. Si no me doy prisa, voy a llegar tarde.

○ ¿Dónde es la reunión?

△ En el Hotel Meliá, cerca de la Plaza de Brasil.

○ ¿Vas a ir en tu coche?

△ No, pensaba coger un taxi, no tengo ganas de conducir.

○ Pues, no sé, pero…, yo te aconsejo que vayas en metro; hay mucho tráfico a estas horas.

EN EL AVIÓN (Colocando el equipaje de mano).

△ ¿Me permite que le ayude?

○ Gracias.

△ **Por cierto**, ¿sabe qué distancia hay del aeropuerto al centro?

○ Unos veinte kilómetros. Hay autobuses cada quince minutos.

EN UNA SALA DE REUNIONES.

△ ¿Qué haces aquí?

○ **Ya ves**, me pidió Cristina que viniera.

△ ¿Te dijo para qué?

○ No, pero supongo que hablaremos del Proyecto de Ayuda a Uruguay.

△ ¿Todavía no lo habéis terminado?

○ **¡Qué va!** Es que con la burocracia no se puede hacer nada…

Cara a cara

1 Fíjate para qué usamos estas expresiones. Ayúdate con el Pretexto y relaciona:

1. Bueno…	**A.** Introducimos una pregunta que no está relacionada con el tema de la conversación.
2. Como verá…	**B.** Introducimos una explicación o historia.
3. Sí, eso.	**C.** Nos ponemos en la situación del otro.
4. ¡Qué lío!	**D.** Expresamos confusión.
5. ¡Hombre!	**E.** Negamos enfáticamente para expresar que lo dicho no tiene sentido.
6. Yo que tú…	**F.** Nos dirigimos al otro de forma familiar.
7. ¡Qué va!	**G.** Expresamos que algo es evidente.
8. Por cierto…	**H.** Introducimos una despedida.
9. Verá…	**I.** Confirmamos con énfasis que lo dicho por el otro es lo que queríamos decir.

2 Completa con alguna de las expresiones del recuadro anterior.

1. △ No sé qué hacer…

   ○ .... , le diría que no.

2. △ .... , ¿recibiste el fax que te envié?

   ○ ¿Cuál?, ¿el de los precios?

3. △ ¡.. , no te pongas así! ¡No es para tanto!

   ○ Claro, como no te ha pasado a ti…

4. △ ¡Dígame!

   ○ .... , esta mañana me han robado la cartera y…

5. △ … y esto es todo lo que te cuento. ¡**Uy**, qué tarde es! ....,
   te dejo. Mañana te llamo…

   ○ ¡Hasta luego!

6. △ ¿Un dispositivo de seguridad personal? ¿Un *airbag*?

   ○ ....

7. △ .... Lo he leído tres veces,
   pero es que **no entiendo ni jota**.

   ○ Pero si es muy fácil, ... …

No entiendo ni jota: no entiendo nada.
¡Uy!: interjección que usamos para expresar sorpresa.

Gramática

VERBOS DE INFLUENCIA + QUE + SUBJUNTIVO

Los verbos de influencia son aquellos que expresan una acción, petición, mandato o consejo sobre otra persona.

△ *Tengo tantas cosas que hacer… ¡Qué agobio!*
○ **Te aconsejo que hagas** *una lista de prioridades.*

ordenar	permitir	
mandar	dejar	
aconsejar	prohibir	
recomendar	impedir	**+ QUE + SUBJUNTIVO**
pedir	hacer	
rogar	**decir**	
suplicar	lograr	
sugerir	conseguir	

 ¡OJO! lograr, conseguir, necesitar + INFINITIVO (sujetos iguales)

△ *¿Qué tal?*
○ *Muy bien, por fin* **he conseguido terminar** *el informe.*

PEDIR CONSEJO	**ACONSEJAR**
· ¿Qué me recomiendas?	· Te recomiendo que + SUBJUNTIVO.
· ¿Qué me aconsejas?	· Te aconsejo que + SUBJUNTIVO.
· ¿Qué me sugieres?	· Te sugiero que + SUBJUNTIVO.
· ¿Qué debo hacer?	· Debes / tienes que+ INFINITIVO.
· ¿Qué harías tú?	· Yo, (en tu lugar) + CONDICIONAL.
· ¿Qué piensas?	· Creo, pienso que + INDICATIVO.
· ¡Sugiéreme algo!	· ¡IMPERATIVO!

△ *No me apetece ir.* ○ **Yo, en tu lugar, iría**. *Te conviene distraerte.* △ *¡Llevo dos semanas con una alergia horrible!* ○ *Pues* **ve** *al médico.*	△ *Luis me ha invitado a su boda, pero no tengo muchas ganas de ir…* ○ **Creo que debes ir**; *si no, va a enfadarse.* △ *¡No sé qué ponerme!* ○ **Te sugiero que te pongas** *el vestido negro. ¡Te sienta fenomenal!*

 ¡OJO! DEBER + INFINITIVO / DEBER DE + INFINITIVO

PRETÉRITO IMPERFECTO DE SUBJUNTIVO

	LLEVAR	VENDER	SUBIR
(yo)	llevara / se	vendiera / se	subiera / se
(tú)	llevaras / ses	vendieras / ses	subieras / ses
(él / ella, usted)	llevara / se	vendiera / se	subiera / se
(nosotros / as)	lleváramos / semos	vendiéramos / semos	subiéramos / semos
(vosotros / as)	llevarais / seis	vendierais / seis	subierais / seis
(ellos / ellas, ustedes)	llevaran / sen	vendieran / sen	subieran / sen

CONCORDANCIA VERBAL

1. **VERBO (1)**   **+ QUE**   **+ VERBO (2) SUBJUNTIVO**
· presente   · presente
· futuro   · pretérito perfecto
· pretérito perfecto

  △ *¡Venga…!*
  ○ *¡Ya, ya…!* **No creo que tarde** *más de cinco minutos, espera un momento.*

2. **VERBO (1)**   **+ QUE**   **+ VERBO (2) SUBJUNTIVO**
· pretérito perfecto   · imperfecto
· pretérito   · pluscuamperfecto
· imperfecto
· pluscuamperfecto
· condicional

  △ *¿Qué tal la barbacoa?*
  ○ *¡Fenomenal!* **Sentimos** *tanto* **que no vinieras…**

¡OJO! A veces, la expresión de sentimientos u opiniones actuales sobre sucesos pasados nos obliga a romper la regla:

  △ **Siento que no pudieras venir.** *Lo pasamos muy bien.*
  ○ *Más lo sentí yo, pero me resultó imposible.*

Vamos a practicar

1 Señala con una cruz qué le recomienda.

LE RECOMIENDA...	QUE VAYA	QUE NO VAYA
A		
B		
C		
D		

2 Estos tres estudiantes extranjeros viven en Madrid. Escucha y dinos por qué recomiendan esta ciudad para vivir y para estudiar.

Sonia
ALEMANIA

Youngsik
COREA

Xaris
GRECIA

3 Son irregulares los mismos verbos que lo son en el pretérito. Relaciona y, después, añade el pretérito imperfecto de subjuntivo correspondiente.

decir	anduve	*anduviera / se*
tener	cupe	....
estar	di	....
andar	dije	....
dar	estuve	....
traer	hube	....
ir / ser	fui	....
caber	pude	....
poner	puse	....
poder	quise	....
saber	supe	....
venir	tuve	....
haber	traje	....
querer	vine	....

4 Completa con presente, pretérito perfecto o pretérito imperfecto de subjuntivo.

1. △ ¡Qué raro! Hace días que no veo a los vecinos.
   ○ No creo que les (pasar) .... nada, estarán de vacaciones.

2. △ ¡Caramba! ¡Me he cortado!
   ○ ¡Te dije que (tener, tú) .... cuidado! Es que no me escuchas …

3. △ ¡Qué pena que no (venir) .... Raquel!
   ○ Sí, yo también siento mucho que no (poder) .... venir.

4. △ Os aconsejo que (ir, vosotros) .... en septiembre; en agosto hace demasiado calor.

○ Ya … pero la Feria de Málaga es en agosto.

△ A mí me da igual. Haced lo que (querer, vosotros) .... , yo sólo os aviso.

5. △ ¿Lo entendió?

○ Sí, después de explicárselo tres veces, logré que lo (entender, él) ....

6. △ ¿Cuál me pongo? ¿La blanca, o la de flores?

○ ¡Hombre, la blanca es más discreta! No sé, ponte la que (querer, tú) ....

7. △ Cuando tenía veinte años, no me dejaban que (llegar, yo) .... más tarde de las once.

○ ¿De verdad?

8. △ El programa está muy bien: las clases son muy buenas, los profesores, majos… Lo único que no nos dejan es que (alquilar, nosotros) .... motocicletas o coches.

○ ¿Y eso?

9. △ ¡Juan está de un humor de perros! ¿Qué le has dicho?

○ Pues le he dicho que me (dejar, él) .... en paz.

10. △ ¡Te dije que (conectar, tú) .... el contestador antes de salir!

○ Lo siento, se me olvidó.

5 **Indica qué no está permitido en esta piscina.**

No está permitido que la gente se bañe sin gorro.

----

6 Imagina que eres…, y da consejos a tu compañero(a). Revisa las estructuras gramaticales que necesitamos.

1. Eres el ganador de la última competición de ciclismo y un joven aficionado quiere llegar a ser como tú.

3. Eres una modelo guapa y famosa; aconseja a un grupo de jóvenes que quieren seguir tus pasos.

5. Eres una decoradora experta y tu mejor amiga quiere decorar su dormitorio.

2. Eres un profesor con mucha experiencia y una recién licenciada en educación te pide consejo.

4. Eres el mejor vendedor de tu empresa; aconseja a los nuevos empleados.

7 ¡Fíjate! El condicional es muy sencillo y también lo utilizamos para dar consejos.

△ *No sé qué maleta llevar…*
○ *Yo que tú, llevaría la pequeña.*

 ¡OJO! Yo que tú = Yo, en tu lugar… = Si yo fuera tú…

CONDICIONAL

	LLEVAR	**TRAER**	**PERMITIR**
(yo)	llevaría	traería	permitiría
(tú)	llevarías	traerías	permitirías
(él / ella, usted)	llevaría	traería	permitiría
(nosotros / as)	llevaríamos	traeríamos	permitiríamos
(vosotros/ as)	llevaríais	traeríais	permitiríais
(ellos / ellas, ustedes)	llevarían	traerían	permitirían

Ahora, con esta fórmula da consejos a tu compañero(a).

1. *Mañana es el cumpleaños de mi padre y no sé qué regalarle.*
2. *El sábado tengo una boda y no sé qué ponerme.*
3. *Llevo tres años estudiando español, pero todavía no lo hablo con fluidez.*
4. *Este año termino la carrera y no sé qué voy a hacer con mi vida.*
5. *Quiero cortar con Jaime, pero no sé cómo decírselo… ¡No olvides que hemos salido durante cinco largos años!*
6. *Mañana son las Bodas de Plata de mis padres y yo estoy a 2.000 kilómetros de distancia, ¿qué puedo hacer?*

Se dice así

1 Lee este texto con tu compañero(a):

V: ¿Conoce a mi cuñado?
B: No.
V: Ah, ¿no lo conoce?
B: No.
V: Pues pensaba que lo conocía.
B: No.
V: ¿No lo conoce de nada?
B: No.
V: ¿Ni lo ha visto nunca?
B: No.
V: Pero, ¿no sabía que yo tenía un cuñado?
B: No.
V: ¿Y no le gustaría conocerlo?
B: No.

V: ¿Y a mi cuñada?
B: No.
V: ¿No tiene usted ningún cuñado?
B: No.
V: ¿Ni cuñada?
B: No.
V: ¿Tampoco tiene ningún hermano?
B: No.
V: ¿Gemelos?
B: No.
V: ¿Tiene hijos?
B: No.
V: Así que…, ¿no tiene de nada?
B: No.

K. VALENTIN *Teatre de Cabaret*, Instituto de Teatro de la Diputación de Barcelona,Ediciones del Mall, Barcelona, 1983 (Adaptado).

2 Ahora sustituye la palabra *no* por alguna de las expresiones siguientes, teniendo cuidado de que la que elijas se acomode al contexto. Pide ayuda a tu profesor(a).

· No, eso sí que no.
· No es cierto.
· No es verdad.
· Está claro que no.
· Seguro que no.
· No, lo siento.
· ¡Qué va!
· ¡Naranjas de la China!

· No, no y no.
· Te digo que no y, cuando yo digo que no, es que no.
· Ya te he dicho que no, ¿quieres que te lo repita en suahili?
· No, hombre no.
· No y mil veces no.

· Que no, que no y que no.
· Es evidente que no.
· Te digo que no.
· No, no puedo.
· ¡Y un jamón!
· Tampoco.

3 Reacciona ante las siguientes situaciones con una negativa:

A: ¡Oye! ¿Me dejas tu coche para este fin de semana? Es que viene Aimée y me gustaría llevarla a la sierra…

B:

A: ¿Qué te parece si vamos al cine esta tarde? Podríamos ver la última película de Harrison Ford.

B:

A: ¡Venga! Es la última vez que te lo pido…, vente con nosotros, por favor. Lo pasaremos de maravilla.

B:

A: Mira, tienes que salir, no puedes estar todo el día en casa. Si no quieres ir al cine, vamos a tomar algo.

B:

A: No creo que la hayas perdido. ¿Estás segura de que no dejaste la cartera en la biblioteca?

B:

Un paso más

1 Estas son algunas de las capitales del mundo hispano. Elige una de ellas y recomiéndasela a tu compañero(a) para hacer un curso intensivo de español en el mes de mayo.

BOGOTÁ

Es la capital de Colombia. Se trata de una extensa sabana rodeada de cadenas montañosas cuyo clima es de tipo tropical, con dos períodos húmedos: marzo / mayo y septiembre / noviembre. La temperatura media anual es de 15°C. La ciudad tiene casi cinco millones de habitantes, con un crecimiento ascendente, ya que la media de hijos por mujer en edad fértil es de 2,59. La vida en la ciudad presenta dos problemas fundamentales: el transporte, ya que carece de red de metro, y la inseguridad ciudadana.

LA HABANA

Es una ciudad relativamente pequeña, con una población de dos millones de habitantes distribuidos en 727 km². El clima de La Habana tiene características tropicales con un período lluvioso, de mayo a octubre, y otro seco, de noviembre a abril. El mes más cálido es agosto, con una temperatura media de 27°C. El medio habitual para el transporte urbano es el autobús. El nivel de vida es bajo y la oferta cultural, muy limitada.

BUENOS AIRES

La ciudad de Buenos Aires fue declarada en el año 1880 Capital Federal de la República Argentina. El factor fundamental que condicionó el emplazamiento de la ciudad fue el Río de la Plata, considerado el río más ancho del mundo. El clima es templado con influencia oceánica y la temperatura media anual, de 18°C. Cuenta con un sistema de transporte subterráneo con una extensión de treinta y siete kilómetros y seis líneas de tren que comunican

con localidades del área metropolitana. Buenos Aires tiene una amplia oferta cultural: 81 museos, 57 bibliotecas, 98 cines y 48 teatros.

Ahora ya sabes

FUNCIONES

Pedir y dar consejos. ☐

Recomendar. ☐

GRAMÁTICA

Verbos de influencia + *que* + SUBJUNTIVO. ☐

Yo, en tu lugar, + CONDICIONAL. ☐

Concordancia de tiempos verbales. ☐

Imperfecto de SUBJUNTIVO. ☐

Imperfectos irregulares. ☐

VOCABULARIO

La negación. ☐

Ciudades del mundo hispano. ☐

En el banco. ☐

BUSCAMOS A ALGUIEN QUE TENGA INICIATIVA

¿Eres capaz de...?

¿Eres capaz de situar estas frases?

– Se necesita una persona que hable español.
– ¿Qué requisitos piden?
– Entregué el *currículum vitae* en mano.
– Voy a mudarme y…

Pretexto

EN UN CONCURSO DE TELEVISIÓN.

△ Tiene sesenta segundos para adivinar el nombre de un escritor hispano que ha realizado recientemente unas declaraciones polémicas.

○ MARIO VARGAS LLOSA.

△ ¡No! Inténtelo de nuevo, cincuenta y cinco segundos.

○ CARLOS FUENTES.

△ ¡No! Voy a darle una pista: la polémica es de tipo gramatical.

○ GABRIEL GARCÍA MÁRQUEZ.

△ ¡Exacto! Cien puntos para el concursante.

EN UNA AGENCIA INMOBILIARIA.

△ ¡Buenas tardes! ¿En qué puedo ayudarle?

○ Verá, dentro de dos meses voy a mudarme y necesito un piso… Tengo tres hijos y me gustaría que estuviera cerca de un colegio.

△ ¿Prefiere que esté en las afueras o en el centro?

○ Céntrico, y que esté bien comunicado. Si es posible, que haya una boca de metro cerca.

△ Bien, un piso en el centro…, ¿tres dormitorios?

○ Cuatro mejor, y es importante que tenga, al menos, dos cuartos de baño.

EN UNA AGENCIA DE VIAJES.

△ ¡Hola! ¿Puedo ayudarle?

○ Pues sí, mire, va a parecerle increíble, pero acaba de tocarme la lotería y…

△ Y quiere hacer un viaje, ¿no? ¿Adónde le gustaría ir?

○ No sé, la verdad es que nunca he salido de este pueblo… Quiero ir a un lugar que tenga historia, un lugar donde haga buen tiempo…

△ ¿Qué le parece, por ejemplo, México?

EN UNA AGENCIA DE RECURSOS HUMANOS.

△ En Castrol necesitan un asistente de Dirección.

○ ¿Qué requisitos piden?

△ Quieren que tenga experiencia, que hable inglés con fluidez y que sepa informática.

○ Toma, aquí tengo siete currículos con esas características…

△ A ver… ¡Fíjate! Aquí hay una colombiana que habla inglés, francés, alemán, japonés, rumano y, claro, español…

○ Pues, pásaselo a los que llevan la referencia 3001, les vendrá bien.

△ ¡Oye! Han llamado de Walt Disney. Dicen que es urgente sustituir al jefe de Producción.

○ Es que no tengo a nadie que pueda servirles…

△ Quieren que no haya trabajado en la competencia. ¡Oye! ¿Y aquel tipo que vino a traer su currículum en mano? Sí, hombre, el que había ganado un premio…

Cara a cara

1 ¡Fíjate!

CON INDICATIVO	CON SUBJUNTIVO
· *Aquí hay una colombiana **que habla** inglés, francés, alemán...*	· *Quieren **que tenga** experiencia, **que hable** inglés con fluidez...*
· *... el **que había ganado** un premio...*	· *Quieren **que no haya trabajado** en la competencia.*

2 Completa con alguno de los elementos del recuadro. Puedes ayudarte con el Pretexto.

> **A.** Algo que esté muy frío.
>
> **B.** ¿Qué tipo de persona necesitas?
>
> **C.** Que tenga dos cuartos de baño.
>
> **D.** Una cerradura.
>
> **E.** ¿Conoces a alguien que sepa japonés?

1. △ ¿Un piso céntrico?

○ Sí, ...

2. △ ....

○ Una persona que sea muy creativa.

3. △ ....

○ Mi prima vivió en Japón nueve años.

4. △ Es una cosa pequeña que hay en las puertas, como un agujero donde ponemos la llave...

○ ....

△ Sí, eso es.

5. △ ¿Te pongo algo de beber?

○ .... , por favor.

Gramática

DESCRIBIR ALGO O A ALGUIEN QUE CONOCEMOS

VERBO (1) + NOMBRE + QUE + VERBO (2) INDICATIVO

△ *No sé cómo se llama, pero es una cosa que sirve para hacer zumos de fruta… , y funciona con electricidad…*
○ *Una licuadora.*
△ *Sí, eso.*

△ *Es una expresión que utilizamos cuando alguien nos molesta…*
○ *¿Cómprate un bosque y piérdete? ¿Vete a freír monos? ¿Vete a freír espárragos?*
△ *Sí, eso, eso.*

DESCRIBIR ALGO O A ALGUIEN QUE DESEAMOS, NECESITAMOS, BUSCAMOS Y NO CONOCEMOS

VERBO (1)+ NOMBRE + QUE + VERBO (2) SUBJUNTIVO

△ *¿Qué tipo de sofá quiere?*
○ *No sé… Me da igual, pero quiero (un sofá) que sea cómodo.*

△ *¿Un piso o un chalé?*
○ *Mejor un piso. Un piso grande, necesito (un piso) que tenga, al menos, cuatro dormitorios.*

SER

1. **Nacionalidad, profesión, ideología, religión, posesión.**
   – *Juan es anarquista, ¿lo sabías?*

2. **Descripción de personas y cosas.**
   – *Alicia es una mujer muy guapa.*

3. **Expresión de tiempo, fechas.**
   – *Hoy es 17 de junio.*
   – *¡Qué tarde oscurece! Todavía es de día.*

4. **Cantidad total.**
   – *En clase somos veinte.*
   – *Son 5.975 ptas., por favor.*

5. **Tener lugar, ocurrir (un evento o acontecimiento).**
   – *La clase es en el aula 20.*

ESTAR

1. **Estado civil (casado, soltero, divorciado).**
   – *¿Todavía estás soltero?*

2. **Estado en que se encuentra algo o alguien.**
   – *La impresora está estropeada.*
   – *Mi jefe está muy deprimido.*

3. **Expresión de fechas, estaciones y meses.**
   – *Estamos a 17 de junio.*
   – *¡Ya estamos casi en agosto!*

4. **Cantidad parcial o por unidad.**
   – *La libra está a 240 pesetas.*

5. **Localización, situación.**
   – *El aula 20 está en la segunda planta.*

LOS RELATIVOS

QUE

a. Se refiere a una persona, animal o cosa.
b. Con preposición, lleva artículo.
c. ARTÍCULO + **que** al principio de una frase.
d. **Todo** + ARTÍCULO + **que**.

– *Las personas* **que** *han terminado, pueden salir.*
– *Esa es la chica* **de la que** *te hablé.*

ARTÍCULO + CUAL

a. Se refiere a persona, animal o cosa.
b. Sólo en frases explicativas.
c. Se usa más con preposición.

– *Han construido una carretera para ir a la finca,* **por la cual** *se tarda mucho menos.*

DONDE

a. Se refiere a un lugar.
b. Es equivalente a **en el que, en la que, en los que, en las que**.

– *El pueblo* **donde (en el que)** *veraneo es muy pequeño.*

CUANTO -A, -OS, -AS

a. Se refiere a una cantidad.
b. Equivale a **lo que** o **todo lo que**.
c. Presenta variación de género y número.

– *Invita a* **cuantas personas** *quieras.*
– *Nos dio* **cuanto (todo lo que)** *tenía.*

QUIEN

a. Se refiere a una persona.
b. Es variable: **quien / quienes**.
c. Nunca lleva artículo.

– *Quienes (= **los que**) hayan terminado, pueden salir.*
– *Quien (= **el que**) sepa la respuesta, que levante la mano.*

CUYO -A, -OS, -AS

a. Va entre dos nombres.
b. Concuerda en género y número con el segundo.
c. Es de uso mayoritariamente culto.

– *Salamanca es una ciudad* **cuya vida** *estudiantil es muy famosa.*

CUANDO

a. Se refiere a un tiempo o momento.
b. **SER** + expresión de tiempo + **cuando**.

– **Fue** *el verano pasado* **cuando** *nos conocimos.*

COMO

a. Se refiere a la forma o manera.
b. Es equivalente a **de la manera que**.
c. **SER** + GERUNDIO + **como**.

– *Hazlo* **como (de la manera que)** *quieras.*
– **Es** *comiendo* **como** *se engorda.*

Vamos a practicar

1 Indica de qué objeto están hablando en cada una de las conversaciones.

1. ....

2. ....

2 Completa con indicativo o subjuntivo.

1. △ No sé cómo se dice en español. Es una cosa que
   (servir) .... para abrir botellas de vino.
   ○ Un sacacorchos o, en general, un abridor.

2. △ Estoy buscando un piso, pero necesito que
   (tener) .... , al menos, tres dormitorios
   y dos cuartos de baño.
   ○ Creo que (tener, yo) .... lo que
   (necesitar, usted) ....

3. △ ¿Conoces a alguien que (odiar) ....
   el fútbol?
   ○ Sí…
   △ ¿En serio? ¿Quién?
   ○ Pues yo.

4. △ No conozco a nadie a quien le (gustar) ....
   ir al dentista.
   ○ Yo, tampoco.

5. △ ¿Qué le pongo?
   ○ Póngame una botella de agua, por favor.
   △ ¿Con o sin gas?
   ○ Sin gas, y que (estar) .... muy fría, por favor.

6. △ Mire, quiero un coche que (ser) .... pequeño y que (tener) .... aire acondicionado.
   ○ ¿Qué le parece ese Twingo rosa?
   △ ¡Estupendo! Me lo llevo.

7. △ ¡Qué rabia! No tengo ningún par de zapatos que (ir) .... con este vestido.
   ○ Yo creo que los azules no (quedar) .... mal.

8. △ Tengo la persona que necesitas, conozco a un chico que (tener) .... mucha iniciativa.
   ○ Pues, dile que (mandar, él) .... su currículum vitae.

3 ¿Qué tipo de gente hay en tu clase? Pregunta si hay alguien que... + SUBJUNTIVO.

△ *¿Hay alguien que haya estado en México alguna vez?*
○ *¡Yo...! Estuve hace dos años.*

1. saber los ingredientes para una sangría
2. saber cómo se cocina la paella
3. hablar japonés
4. ser hijo(a) único(a)
5. jugar al golf
6. tener alergia a algo
7. ser zurdo(a)
8. saber cómo se baila La Macarena
9. montar a caballo
10. desayunar cereales
11. odiar la cerveza
12. ser aficionado a las corridas de toros

4 ¿A qué tipo de profesional buscan? Habla con tu compañero(a).

– *Buscan un profesor de español que conozca muy bien la lengua y la cultura hispánicas, que sea entusiasta...*

PROFESOR(A) DE ESPAÑOL

- Conocer bien la lengua y cultura hispánicas.
- Ser entusiasta y paciente.
- Ser creativo y dinámico.
- Tener capacidad de organización.
- Tener experiencia docente.
- Tener la licenciatura en Filología Hispánica.

ASISTENTE DE CONGRESOS

- Medir 1,65 mínimo.
- Tener buena presencia.
- Tener titulación universitaria.
- Ser extrovertido(a).
- Hablar inglés y francés.

VENDEDOR(A)

- Tener buena presencia.
- Tener don de gentes y fluidez verbal.
- Disponer de coche propio.
- Tener poder de seducción.
- Tener disponibilidad para viajar.
- Hablar inglés y alemán.

GUÍA TURÍSTICO (A)

- Tener un excelente conocimiento de la geografía.
- Estar especializado en Historia.
- Hablar inglés.

5 Han llegado las vacaciones; tienes quince días, pero andas un poco desorientado; sabes lo que quieres, pero no sabes adónde ir. Ve a la agencia de viajes.

UN TIPO CON SUERTE	AGENCIA DE VIAJES
· un lugar con buen tiempo garantizado · no gastar más de 95.000 pesetas · un lugar con playa · un hotel con piscina · un lugar con poca gente · pensión completa	(Piensa en la mejor oferta para satisfacer los deseos de tu "desorientado" cliente)

6 Completa con un relativo:

QUE
QUIEN
ART + CUAL
DONDE
COMO
CUANDO
CUANTO
CUYO
EL QUE
LA QUE
LO QUE

1. △ ¡Ya he terminado! ¿Dónde lo pongo?
   ○ .... quieras, pero ten cuidado.

2. △ He traído todo .... he encontrado en casa.
   ○ Muy bien, gracias.

3. △ La profesora a .... saludé el otro día en el bar es muy simpática.
   ○ ¿Y qué clase da?

4. △ .... quiere, puede.
   ○ ¡Pues yo no estoy de acuerdo!

5. △ ¿Dónde has puesto la planta?
   ○ En la única ventana .... da la sombra.

6. △ ¡Cómo he engordado!
   ○ Pues ya sabes. Es pasando hambre .... uno adelgaza.

7. △ Comed .... queráis, hay comida de sobra.
   ○ Gracias, está todo muy bueno.

8. △ ¿Adónde vamos?
   ○ Me es lo mismo. .... quieras.

9. △ ¿Vamos en metro, o cogemos un taxi?
   ○ .... queráis.

10. △ Es la niña .... lo ha roto.
    ○ ¡Pues va a oírme…!

7 Completa con SER o ESTAR.

1. △ ¿Qué día .... la clausura de curso?
2. △ ¡Qué día…! ¡................. agotada!
3. △ ¡Taxi…! ¿................. libre?
4. △ ¿Dónde .... la reunión?
5. △ ¿A qué día ....?
6. △ ¿Quién .... el de la barba?
7. △ ¿Dónde has puesto las llaves?
8. △ ¿Cuánto .... , por favor?
9. △ ¿Cómo .... Luis?
10. △ ¡Qué delgada ....!

○ El martes.
○ Pues que descanses.
○ Sí, ¿adónde la llevo?
○ En la sala de la tercera planta.
○ A 25 de junio.
○ El novio de Marisa.
○ .... en el cajón.
○ .... 20 pesos.
○ Un poco mejor, ya no tiene fiebre.
○ Es el estrés.

Se dice así

 1 Escucha las descripciones de estos personajes y señala a qué fotografía se refiere cada una.

2 Fíjate en esta fotografía y en el texto que la acompaña.

Alonso Zamora Vicente es miembro de la Real Academia Española. Es un hombre amable y tranquilo, optimista y culto. Su gran pasión es la Cultura española.

3 Estos adjetivos sirven para describir el carácter de las personas. Ayúdate con el diccionario y escribe el contrario.

introvertido(a)	estable	valiente ....
sociable	optimista	impulsivo(a) ....
ambicioso(a)	presumido(a)	generoso(a) ....
cariñoso(a)	discreto(a)	trabajador(a) ....
apasionado(a)	tranquilo(a)	débil ....
idealista	divertido(a)	apático(a) ....
creativo(a)	paciente	seguro(a) ....

Ahora, piensa en alguien famoso y descríbeselo a tu compañero para que adivine de quién se trata.

 4 Esta es la descripción que una colombiana da de Gabriel García Márquez. Toma nota de los adjetivos que utiliza.

5 ¡Fíjate! Se ha puesto roja.

¡QUÉ CORTE!

PONERSE + ADJETIVO

Un paso más

1 Lee el siguiente texto y coméntalo con tus compañeros(as):

EL TELETRABAJO

En el año 2000, millones de personas dirán adiós al tráfico matutino, al café de la empresa y a las prisas del jefe. Porque para entonces, esas personas se ocuparán de su trabajo desde el sillón de su casa, con el horario que ellos decidan y el ritmo que prefieran. El teletrabajo es una realidad que ya practica el 6% de la población activa mundial; sólo se necesita un ordenador, un fax y un teléfono.

¿Cuáles son las ventajas de esta forma de trabajo? Indudablemente, el trabajador es más creativo, tiene mayor flexibilidad y esto le permite desarrollar más su iniciativa. Además, ahorra tiempo en desplazamientos, y las empresas disminuyen sus gastos; sin embargo, la ausencia de contacto social con los compañeros puede ocasionar perjuicios y, quizá, trastornos en la personalidad.

Añadid vuestras opiniones y justificadlas:

TELETRABAJO, SÍ	TELETRABAJO, NO
1. horario flexible	1. ausencia de contacto social
2. ahorro de tiempo en desplazamientos	2. falta de motivación
3. menos gastos para la empresa	3. saturación de líneas telefónicas

Ahora ya sabes

FUNCIONES	GRAMÁTICA	VOCABULARIO
Definir objetos. ☐	V(1) + NOMBRE + V(2) + INDICATIVO / SUBJUNTIVO ☐	Adjetivos para describir el carácter. ☐
		Estados de ánimo. ☐
Describir lo que conocemos. ☐	Relativos. ☐	*Ponerse* + adjetivo. ☐
		Agencia de viajes. ☐
Describir lo que buscamos, deseamos o no conocemos. ☐	*Ser / estar.* ☐	Agencia inmobiliaria. ☐
		Teletrabajo. ☐

1 Completa con indicativo o subjuntivo.

1. △ Creo que algunos de los problemas del Tercer Mundo se (poder) .... resolver con un buen sistema de planificación familiar, ¿no te parece?
   ○ Sí, pero…

2. △ ¿No crees que (poder) .... pedir una pizza?
   ○ Como (tú, querer) ....

3. △ ¿Qué te pasa?
   ○ Que he descubierto que (ser, yo) .... alérgica a la leche.

4. △ ¡Anda! Acabo de darme cuenta de que (olvidar, yo) .... traerte el libro… ¡Qué cabeza tengo!
   ○ ¡No pasa nada! ¡Ya me lo darás mañana!

5. △ Voy a pedirle el coche a papá…
   ○ Haz lo que (querer, tú) .... , pero no creo que te lo (dejar, él) ....

6. △ ¿Por qué gritas?
   ○ Es que me he quedado dormida y estaba soñando que (haber) .... un dinosaurio en la habitación y…

7. △ Parece cierto que (ir) .... a subir el precio del tabaco.
   ○ ¿Cuánto?

8. △ María no ha llamado todavía.
   ○ ¡Bah! Está claro que no (querer) .... verme.

9. △ ¿Qué dice?
   ○ Que (estar, ella) .... cansada y que (ir) .... nosotros.

10. △ Siento mucho que no (poder, vosotros) .... venir.
    ○ ¡Otra vez será!

2 ¿Qué opinas sobre la llamada "caja boba"?

Mucha televisión, mucha agresividad.

Según un estudio realizado en España por la Asociación Española de Pediatría, los niños que ven más tiempo la televisión son los más agresivos, los que tienen más problemas para estudiar, los que tienen más dificultades para pensar, los que tienen más problemas sociales y los que están más aislados.

revisión

Da tu opinión sobre lo que acabas de leer y piensa en alternativas para que los niños reduzcan el tiempo dedicado a la televisión.

TELEVISIÓN SÍ	ALTERNATIVAS	TELEVISIÓN NO

3 Reacciona con una de las expresiones del recuadro. Si quieres, puedes relacionarlas de forma gráfica:

ALUMNO A Situaciones	ALUMNO B Reacciones
1. Se ha muerto mi perro Chispi. 2. ¿Sabes? Me ha tocado la lotería. 3. La profe ha dicho que vamos a recuperar la clase el sábado. 4. Han encontrado vida en Marte. 5. Esta tarde tengo que ir al dentista. 6. ¡Me han robado el coche!	A. ¿De verdad? B. ¡Qué rollo! C. ¡No me lo puedo creer! D. ¡Qué lata! E. ¡Qué suerte! F. ¡Cuánto lo siento!

4 Completa con subjuntivo o infinitivo.

1. No soporto que la gente

A. ....
B. ....
C. ....

2. Me gusta que la gente

A. ....
B. ....
C. ....

3. Me da vergüenza

A. ....
B. ....
C. ....

4. Me extraña que los hispanos

A. ....
B. ....
C. ....

revisión

5 **Completa con un relativo.**

1. △ ¡Oye! ¿Qué tarta quieres que haga?
   ○ Me da igual. Haz .... más te apetezca.
   △ ¿Pongo té o café?
   ○ No sé… Pon .... quieras.
   △ ¿Y a qué hora les digo que vengan?
   ○ Decide tú, ... quieras.
   △ Una cosa más… ¡Oye…!
   ○ ¿Podrías dejarme en paz? ¿No ves que estoy intentando terminar este informe?

2. △ ¿Quién es la profesora de Historia?
   ○ .... lleva el vestido azul.

3. △ ¿Qué prefieres?, ¿pizza o comida china?
   ○ Pues me da igual. .... prefieras tú.

4. △ El chico de .... te hablé el otro día ha ganado el V Premio de Novela.
   ○ ¡Qué bien! ¿Por qué no lo contratamos?

5. △ La chica con .... vivía ha vuelto a Canadá…
   ○ ¿Estás buscando a alguien que quiera compartir piso?
   △ Sí, si conoces a alguien .... pueda estar interesado, dímelo.

6 **Completa con indicativo o subjuntivo.**

1. △ Las líneas aéreas con las que (viajar, yo) .... tienen un servicio excelente.
   ○ ¿Qué compañía es?

2. △ No, no es ésta la casa que (ver, yo) .... el otro día; la que (ver) ....
   tenía un jardín más grande.
   ○ ¿Recuerda el nombre del agente comercial que se la (enseñar) ....?

3. △ ¡No encuentro a nadie que (poder) .... cuidar a los niños esta noche!
   ○ ¿Has llamado a María?
   △ Sí, pero mañana tiene un examen.
   ○ Pues llama a la Agencia de Canguros.

4. △ Necesito un traductor de ruso… ¿Conoces a alguno?
   ○ Conozco a una chica que (trabajar) .... en la Embajada. ¿Quieres que la
   (llamar, yo) ....?
   △ Si haces el favor…

5. △ ¿Has visto la revista que (traer, yo) .... ayer?
   ○ Creo que (estar) .... debajo de la cama. ¡Mira a ver!

revisión

7 Escribe los contrarios de los siguientes adjetivos:

impaciente ....
inteligente ....
prudente ....
aburrido(a) ....
valiente ....

egoísta ....
perezoso(a) ....
sensato(a) ....
vital ....
creativo(a) ....

8 Lee el siguiente texto y completa el recuadro:

EL COLOR DE LA PERSONALIDAD

El color del coche dice de su dueño más de lo que parece. Un equipo de psicólogos británicos asegura que está directamente relacionado con la personalidad del propietario. Así, por ejemplo, los conductores más creativos e impulsivos escogen el rojo. El blanco es el color de los más metódicos; el gris, el de los sensatos y cautelosos; el azul, el de los sociables y extrovertidos; y los colores pastel indican una tendencia a la depresión.

COLOR DEL COCHE	PERSONALIDAD
- - - - - - - - - - - - - - - - - - - -	- - - - - - - - - - - - - - - - - - - -
- - - - - - - - - - - - - - - - - - - -	- - - - - - - - - - - - - - - - - - - -
- - - - - - - - - - - - - - - - - - - -	- - - - - - - - - - - - - - - - - - - -
- - - - - - - - - - - - - - - - - - - -	- - - - - - - - - - - - - - - - - - - -

¿Tienes coche? ¿De qué color es? Pregunta también a tus compañeros(as).

¿Eres capaz de...?

¿Eres capaz de situar estas frases?

– No pienso trabajar los fines de semana.

– Cuando seas grande, ¿tendrás una cadena de supermercados?

– ¿Te gustaría ir de vacaciones a Hispanoamérica?

– ¿Cuándo tienes tiempo para ir a clase de yoga?

Pretexto

DE VACACIONES.

△ Este invierno, cuando vuelva a la normalidad, me voy a organizar mejor.

○ ¿Qué quieres decir?

△ Que voy a dedicar más tiempo a las cosas que me gustan, y menos al trabajo. Que voy a correr menos, voy a salir a mis horas y no tan tarde como en los últimos meses. Que no pienso trabajar los fines de semana. En una palabra: voy a vivir más.

○ **¡Bueno, bueno!** Eso suena muy bien, pero cuando llega el momento, nunca lo hacemos.

△ **Ya verás**. Esta vez sí que lo hago.

11

DESPUÉS DE UNA SESIÓN DE YOGA.

△ ¡Qué buen aspecto tienes! ¿Has estado de vacaciones?

○ No, chico, ¡qué va! Me he apuntado a un curso de yoga y estoy encantado.

△ Pero, tú, ¿cuándo tienes tiempo de hacer esas cosas?

○ Voy dos veces por semana, al salir del trabajo.

△ Yo ahora **estoy muy liado** con un grupo de inspección, tengo que acompañarlos a todas partes.

○ Bueno, pues cuando se vayan, tienes que intentarlo, te sentirás mucho mejor, **¡palabra!**

A LA HORA DEL CAFÉ.

△ ¡Cómo me gustaría ser millonaria!

○ ¿Millonaria? ¿Para qué? Aquí tienes un trabajo que te gusta y además está muy bien pagado, ¿para qué necesitas más dinero?

△ Es verdad, no necesito el dinero, pero **a nadie le amarga un dulce**, ¿no? Y te voy a explicar para qué lo quiero: para dar la vuelta al mundo, para comprarme una casa en la montaña y… para que nadie me diga lo que tengo que hacer.

○ Es decir, que quieres ser millonaria para lo mismo que todo el mundo.

MAFALDA Y SUS AMIGOS HACEN PLANES.

△ Cuando seas grande, ¿tendrás una cadena de supermercados, Manolito?

○ ¡Por supuesto!

△ Ya te veo al frente de tu cadena de supermercados, Manolito.

○ ¡¡Mi fabulosa cadena de supermercados!!

△ Tendrás muchos empleados.

○ ¡¡Cientos y cientos de empleados!!

△ Que trabajarán felices porque pagarás buenos sueldos.

○ ¡¡Pagaré estupendos sueldos!!… ¡Mirá lo que me hacés decir!!

EN LA OFICINA.

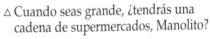

△ ¡Hola, Alberto! ¿Qué tal? ¿Cómo estás?

○ ¡Hola! ¡Qué sorpresa más agradable!

△ **¡De veras!** Yo no sabía que vos trabajabas aquí.

○ Sí, ya hace tres meses, ¿no te habías enterado?

△ Pues no, no lo sabía, **de lo contrario** ya te habría llamado varias veces.

○ Bueno, ahora ya sabés. ¿Cuándo tendrás tiempo para ir a tomar un café y charlar un poco?

△ Cuando vos querás; llamame en estos días para coordinar el día y la hora, ¿sí?

○ Claro que sí. Me encantaría.

△ Bien, te dejo y espero que te portés bien, como siempre.

○ No te preocupés, ¿vos no sabés que yo soy modelo de persona?

¡OJO!

En **Argentina, Paraguay y otros países de Hispanoamérica** usan la forma **vos** en lugar de **tú**. **El verbo cambia** como en los diálogos:
Sabés: sabes; **querás:** quieras; **llamame:** llámame; **portés:** portes; **preocupés:** preocupes; **mirá:** mira; **hacés:** haces.
En España decimos:
– **mayor,** en lugar de **grande.**
– **quedar con alguien,** en lugar de **coordinar el día y la hora.**

Cara a cara

1 Lee de nuevo los diálogos y completa con las expresiones del recuadro.
Compara con lo que ha escrito tu compañero(a).

A. ¿Cuándo tendrás tiempo para charlar un rato?	**D.** Para dar la vuelta al mundo
	E. Cuando vuelva a la normalidad
B. Voy dos veces por semana	**F.** Llámame en estos días.
C. Claro que sí, me encantaría.	**G.** Tienes que intentarlo

1. △ No puedo hacer ese trabajo.
   ○ ...., es muy importante para tu carrera.

2. △ ...., tengo muchas cosas que contarte.
   ○ .... Ahora no tengo mucho trabajo

3. △ ¿Quieres que vayamos este fin de semana de excursión?
   ○ ....

4. △ ¿Para qué quieres el crédito que has pedido al banco?
   ○ .... con mi familia.

5. △ ¿Cuándo tienes tiempo para ir a clase de baile?
   ○ ...., al salir de clase.

6. △ **Llevás** una vida de locos, sin tiempo para nada. No **podés** seguir así.
   ○ Ahora tengo muchísimo trabajo. ...., me voy a organizar mejor.

2 En parejas, volved a leer el PRETEXTO y relacionad las siguientes expresiones:

· ¡Palabra!	· Tengo mucho trabajo.
· ¡Bueno, bueno!	· No me crees, pero es verdad.
· De lo contrario…	· Si no…
· ¡Ya verás!	· A todos nos gustan las cosas buenas y agradables.
· Estoy muy liado.	· Te lo aseguro.
· A nadie le amarga un dulce.	· No te creo.

Y, ahora, usadlas en la siguiente conversación:

△ Aunque ....(1)................ , ya ves que siempre encuentro tiempo para charlar contigo.

○ ....(2)........................, eso es lo que tú dices; en realidad es que me necesitas para algo.

△ Pero, ¡hombre! ¿Por qué no me crees?

○ Porque te conozco, tú necesitas algo, ...(3)........................, no me habrías llamado.

△ Te repito que sólo quiero tomarme un café contigo, ...(4)........................ .

○ Al final querrás algo, ...(5)........................ .

△ ¡Que no, hombre, que no! Que esta vez es para que tú ganes algo con un buen negocio, ¿qué te parece?

○ Pues muy bien, ...(6)........................ .

Gramática

EXPRESIÓN DE TIEMPO

GRUPO 1

cuando
 	
tan pronto como
 	
en cuanto que   +
 	
mientras
 	
hasta que
	INDICATIVO (acción en pasado o presente habitual
	    △ *¿Pudiste hablar con el director?*
	    ○ *No, porque **cuando llegué**, ya se había ido.*
	
	    △ *Yo me ducho **en cuanto me levanto**.*
	    ○ *Pues yo prefiero ducharme por la noche.*
	
	SUBJUNTIVO (acción de realización futura)
	    △ *¿Cuándo crees que terminará esa dichosa guerra?*
	    ○ ***Cuando** los gobernantes **se pongan** de acuerdo.*
	
	    △ *¿Cuándo vas a tomarte unas vacaciones?*
	    ○ ***Hasta que no termine** la temporada, no creo que pueda.*

GRUPO 2

desde que
       +
ahora que
	INDICATIVO
	    △ *¿Cómo sigues?*
	    ○ *Bueno, **desde que me han dicho** que los análisis están bien,
	       me encuentro mucho más tranquila.*

GRUPO 3

antes de
       +
después de
	INFINITIVO (sujetos iguales)
	    △ *Antes de salir, te llamaré, ¿vale?*
	    ○ *Muy bien, así sabré a qué hora llegaréis.*
	
	QUE + SUBJUNTIVO (sujetos diferentes)
	    △ *Antes de que empiece la película, tengo que terminar esto.*
	    ○ *Pues date prisa, porque empieza dentro de veinte minutos.*

¡OJO!

Después de que, cuando expresa una acción en pasado
puede ir seguido de indicativo o subjuntivo.
△ *¿Dónde dieron asilo político al presidente?*
○ *No lo sé exactamente, pero salió del país **después de que**
   anunciaran / anunciaron los resultados de las elecciones.*

¡FÍJATE!

 AL + INFINITIVO = CUANDO + VERBO CONJUGADO
    △ *Cuando llegue / al llegar a casa, os llamaré*

 DE niña, joven, mayor = CUANDO + SER + niña, joven, mayor
    △ *Cuando era niña / de niña me gustaba asar castañas en la chimenea.*

PARA EXPRESAR OTRAS RELACIONES TEMPORALES

DESDE + día, mes, año, estación, horas
(horas y días con artículo)

△ *Desde el martes no he podido dormir…*
○ *Pues échate una siesta, hombre.*

Expresa el inicio de una acción

HASTA + día, mes, año, estación, horas
(horas y días con artículo)

△ *Hasta las tres, no salgo.*
○ *Pasaré a recogerte.*

Expresa el límite final.

A + edad, horas, período de tiempo

△ *¿Llevas mucho tiempo en esta empresa?*
○ *La verdad es que empecé a los 20 años.*

Relaciona un hecho con la edad / el tiempo

EN + años, estaciones, épocas

△ *Y tú, ¿qué haces en Navidad?*
○ *Normalmente voy a esquiar.*

Sitúa acciones en espacios de tiempo.

EXPRESAR FINALIDAD O PROPÓSITO

para +	**INFINITIVO (sujetos iguales)**
	QUE + SUBJUNTIVO (sujetos diferentes)

△ *¿Para qué has hecho ese plan de pensiones?*
○ *Por muchas razones, pero sobre todo **para desgravar** impuestos y **para que** mis hijos **vivan tranquilos.***

△ *¿Cómo es que tienes tanto interés en que te toque la lotería?*
○ *¡Está clarísimo! Quiero ser millonaria **para dar** la vuelta al mundo y **para que nadie me diga** lo que tengo que hacer.*

> **¡FÍJATE!**
> Los proyectos de futuro y los consejos están muy relacionados con la finalidad y utilizamos *para cuando + subjuntivo.*
>
> △ *Voy a empezar a ahorrar **para cuando sea** mayor.*
> ○ *¡Qué organizada eres!*
>
> △ *Tienes que aprender a hacerlo ya, **para cuando estés solo** y nadie pueda ayudarte.*
> ○ *Si tú lo dices…*
>
> (Si suprimimos **para**, las frases cambian de significado.)

Vamos a practicar

1 Escucha y escribe los proyectos de Susanita para su futuro. ¿Qué le parecen a Mafalda esos proyectos? Apunta también las palabras o expresiones que te parezcan argentinas.

PROYECTOS	PALABRAS de ARGENTINA.
....	....
....	....
....	....
....	....

2 Escucha el siguiente texto y di si es verdadero o falso. Después, con tu compañero(a), opina sobre el problema de la falta de tiempo.

	V	F
a. En vacaciones soñamos mucho porque hay más tiempo.		
b. Al regresar después del descanso, nos sentimos peor que antes.		
c. El 79% de los españoles ha acabado con estrés.		
d. Se debe consultar siempre con el psiquiatra.		
e. A veces también las dietas son buenas contra el estrés.		

3 Contesta a las preguntas de tu compañero(a).

ALUMNO A	ALUMNO B
△ ¿Qué puedo hacer cuando tengo miedo? ○ Respuesta de B:	△ Tú, ¿qué sueles hacer cuando no tienes ganas de estudiar? ○ Respuesta de A: ....
△ ¿Cuándo dejarán mis padres de controlarme? ○ Respuesta de B:	△ ¿Cuándo volverás a tu país? ○ Respuesta de A:.....................................
△ ¡Coche nuevo! ¿Cuándo te lo has comprado? ○ Respuesta de B:	△ Cuando tengo un examen me pongo muy nervioso, ¿qué puedo hacer? ○ Respuesta de A: ....

4 Tienes muy malos hábitos. Explica a tu compañero(a) cuáles son tus planes para cambiarlos . Usa las expresiones que has visto en la gramática.

*Cuando empiece el curso, **voy** a hacer más deporte, pienso fumar menos y …*

levantarse tarde	fumar	no leer nada
ver demasiado la tele	no hacer deporte	dormir poco
no sonreír nunca	llegar tarde	ser adicto(a) al trabajo

5 Pon los verbos en la forma correcta. Ten cuidado: a veces hablamos del pasado; otras, del futuro o de costumbres.

1. △ ¿Qué haces cuando (sentirte) .... agobiada?
   ○ (Salir) .... a dar un paseo por la playa con mi perra. ¿Y tú?
   △ ¿Yo? (Hacer) .... deporte siempre que (poder) ....; por eso, pocas veces me siento agobiada.

2. △ ¡Anda! Cuéntame lo que te dijo.
   ○ Es muy largo, ahora no (tener, yo) .... tiempo. Ya te lo contaré cuando (salir, nosotros) ....

3. △ ¿Qué sabes de Jesús?
   ○ Que todo ha ido bien. Me llamó en cuanto (llegar, él) ...., para decírmelo.

4. △ Yo no puedo oír la radio, ni escuchar música mientras (estudiar) .... porque me distraigo.
   ○ ¿Ah, no? Pues yo me concentro mejor cuando (haber) .... algún ruido de fondo, no soporto el silencio.

5. △ ¡Qué cantidad de problemas hay en esta oficina!
   ○ ¡Chico! Pues hasta que tú (venir) ...., todo iba de maravilla.

6 Haz frases según el modelo. Luego compara con las que ha hecho tu compañero(a).

Cuando tengas poco tiempo, | organiza bien el trabajo.
tienes que organizar bien el trabajo.

Siempre que

Cuando

Antes de (que)

Tener poco tiempo,
estar aburrido,
no poder concentrarse,
crecer los problemas,
sentirse deprimido(a),
ir mal las cosas,
estar muy nervioso(a),

darte una buena ducha.
pensar en algo positivo.
desarrollar aficiones.
salir más con los amigos.
organizar bien el trabajo.
hacer un descanso.
reírte de ti mismo.

7 Haz la pregunta adecuada.

1. △ ¿...?
   ○ Dentro de dos semanas.

2. △ ¿...?
   ○ Para trabajar en Hispanoamérica.

3. △ ¿...?
   ○ Hace tres años.

4. △ ¿...?
   ○ Para comprar el periódico.

5. △ ¿...?
   ○ Los fines de semana.

6. △ ¿...?
   ○ Para que me devuelvan el dinero.

8 En parejas, volved a leer la gramática sobre la expresión de finalidad o propósito.
A veces tenéis que usar PARA y a veces, PARA QUE.

*Cuando estudio, suelo descolgar el teléfono **para que nadie me moleste**.*

· Vamos a empezar a ahorrar...   →
· Me quedaré en casa todo el fin de semana...   →
· En nuestro edificio tenemos un vigilante…   →
· Tenemos que preparar las cosas con tiempo…   →
· Me han dado este dinero…   →
· Tiene que hacer más ejercicio…   →
· Os voy a llevar a Córdoba…   →
· Tienes que estar muy preparada…   →

9 Sustituye CUANDO por otra expresión de tiempo y haz las transformaciones necesarias.

de
después de que
antes de que
mientras
al
en cuanto

1. A Marta, **cuando** era pequeña, le daban miedo los perros; ahora es veterinaria.

2. Tenemos que hacer una fiesta **cuando** termine el curso.

3. No se puede dormir **cuando** alguien hace ruido.

4. Me di cuenta del error **cuando** leí el folleto.

5. No volvió a mirar en mis cajones **cuando** le dije que me molestaba.

6. Voy a irme de vacaciones **cuando** terminen las clases.

10 Completa con la preposición adecuada.

1. △ No veo a mi tía .... junio del año pasado; este año iré a visitarla ....
   septiembre, porque no he tenido tiempo libre .... otro momento.
   ○ ¿Y cuánto tiempo te quedarás?
   △ .... finales de mes, creo.

2. △ Llegué a su casa a buscarlos .... las nueve más o menos y no estaban levantados.
   Los esperé .... las diez y media tomando un café y después me fui.

3. △ .... que vivo en el sur y voy a la playa .... abril .... octubre, es una
   maravilla disfrutar del mar casi .... cualquier época del año.
   ○ Sí, quizá, pero a mí no me gustaría, echaría de menos la nieve .... invierno.

4. △ Se fue de casa .... los 18 años, encontró un trabajo estable .... los 25, se casó
   .... los 30 y, ... entonces, dice que es una persona feliz que ha hecho lo
   que quería .... la vida.
   ○ Pues, ¡qué suerte! Poca gente puede decir lo mismo.

5. △ Querido diario: Anoche fui por primera vez a una verbena, que es una fiesta al aire
   libre. Yo llegué .... las doce más o menos. .... esa hora todavía había poca gente,
   pero .... (el) poco tiempo todo se llenó. Me encontré con mucha gente conocida y
   nos quedamos .... el final, porque .... (el) día siguiente no teníamos clase.

Se dice así

1 *"Eso lo haré cuando tenga más tiempo"*, es una frase muy habitual. Luego, cuando llegan las vacaciones, hacemos lo mismo de siempre. A continuación te presentamos un informe de cómo viajan los españoles.

Después de leer las definiciones, ponles uno de estos calificativos:

playero   joven   poco creativo   europeísta

poco precavido   agosteño   deportista

autónomo   culto   espléndido   casero

El 80% de los viajes tiene a Europa como destino. Los países preferidos son Francia, Portugal y el Reino Unido.
....

El 64 % de los viajeros suele alojarse en viviendas propias o en casa de familiares o amigos.
....

Ocho de cada diez viajes se hacen en vehículo propio. De lo contrario, se prefieren el autobús, el vuelo chárter y el tren, en ese orden.
....

El 40% de los viajeros asegura que ha visitado museos y monumentos.
....

Los más viajeros tienen entre 25 y 44 años.
....

Casi la tercera parte de los que eligen viajes con alojamiento hotelero prefiere paquetes turísticos con todo organizado.
....

Las comunidades autónomas más visitadas por los turistas son Andalucía, Cataluña y la Comunidad Valenciana, por sus playas.
....

En viajes de más de cuatro días el español suele gastar una media de 36.300 pesetas en los destinos nacionales y 90.800 en los extranjeros.
....

Sólo cuatro de cada diez viajes se planean con más de un mes de antelación. Además, en la mitad de ellos no se hacen reservas previas de ningún tipo.
....

Casi un 13% de los viajeros realiza deportes de naturaleza (piragüismo, montañismo...)
....

Fuente: *Instituto de Estudios Turísticos. (1996)*

¿Cómo te calificas tú a la hora de salir de vacaciones? Elabora tus características y coméntalas con tu compañero(a).

....

Un paso más

1 ¿Eres original? Para cuando tengas tiempo, te proponemos descubrir una América del Sur distinta. Elige lo que más te guste.

EL PERÚ MÁGICO

Destinado a:
Aficionados al ocultismo, la fauna y el trekking. Imprescindible: tener buena forma física.

Atractivo:
Viaje por el corazón de los Andes. Contemplación de una ceremonia de curanderismo, oficiada por un chamán con posibilidades de probar el alucinógeno ayahuaca.

LOS GLACIARES DE CHILE

Destinado a:
Aficionados a la fotografía y a la naturaleza que quieran, además, disfrutar del lujo.

Atractivo:
Surcar el mar en medio de grandes masas de hielo, como el glaciar San Rafael, seguir navegando a través de canales de gran interés geográfico e histórico. Contemplación del fiordo Quitralco.

LA VENEZUELA INDÍGENA

Destinado a:
aventureros interesados en hermanar con culturas alejadas de la prisa de la sociedad actual.

Atractivo:
Contacto en la frontera de Venezuela y Colombia con tribus indígenas como las puinabes, curripacos y convivencia de varios días con los yanomamis.

PARA AYUDARTE:

1. **ocultismo:** prácticas misteriosas y mágicas
2. **chamán:** jefe espiritual
3. **curanderismo:** forma mágica de curar.
4. **grandes masas de hielo:** grandes cantidades de hielo

En parejas, leed otra vez los textos y escribid una publicidad parecida.

Ahora ya sabes

FUNCIONES

Hablar del futuro en contraste con el presente (las costumbres) y el pasado. ☐

Hacer planes y proyectos. ☐

Expresar finalidad y ponerla en relación con los planes de futuro. ☐

GRAMÁTICA

Cuando + SUBJUNTIVO en contraste con INDICATIVO. ☐

Conjunciones y marcadores temporales. ☐

Algunas preposiciones que indican tiempo. ☐

Para / para que. ☐

VOCABULARIO

Tipos de viajeros españoles. ☐

Particularidades de Argentina y Uruguay. ☐

¿CÓMO SERÍA SI NO FUERA...?

¿Eres capaz de...?

¿Eres capaz de situar estas frases?

– Si no empezamos a cuidar el medio ambiente, el mundo se convertirá en un desierto. ☐

– Si no fuera yo, me gustaría ser un gato. ☐

– ¿Te has enterado de que Marta se ha ido del trabajo? ☐

– Vine aquí porque hay trabajo. ☐

Pretexto

Y SI...

△ ¿Sabes? El otro día tuvimos una discusión tremenda.

○ ¿Y eso? Yo te tenía por una persona civilizada.

△ ¡Y lo soy! Lo que pasa es que el tema era muy polémico: legalizar o no legalizar las drogas.

○ ¡Claro! Ya entiendo. **El caso es que** si me preguntaran a mí, no sabría qué responder, porque hay razones a favor y en contra.

△ Es verdad, porque si las legalizaran, no resultarían tan caras.

○ Pero, por otra parte, si se legalizaran, aumentaría el consumo, ¿no crees?

△ **Eso es.** Y por eso tuvimos esa discusión.

SI NO FUERAS TÚ, ¿QUÉ TE GUSTARÍA SER?

△ ¿Has pensado alguna vez qué te gustaría ser si no fueras tú?

○ **¡Vaya pregunta!** No, nunca lo he pensado. ¿Y tú?

△ Yo sí. Si pudiera elegir, primero, me gustaría ser yo otra vez.

○ **¡Mira qué** modesta! Y, ¿si no?

△ Entonces, me gustaría ser o un gato o un pájaro.

¿LA TIERRA ESTÁ EN PELIGRO?

△ ¿Qué te pasa? Pareces preocupada.

○ Y lo estoy. Acabo de leer un informe sobre el futuro de nuestro planeta y si seguimos así, dentro de poco no habrá bastante oxígeno.

△ ¡Mujer, no seas alarmista! ¿Cómo que no habrá bastante oxígeno?

○ Pues claro, **¿no ves que** se talan árboles sin control? **Y encima**, se queman bosques enteros. Si no empezamos a cuidar el medio ambiente, el mundo se convertirá en un desierto.

PONTE EN EL LUGAR DE OTRO.

△ ¿Te has enterado de que Marta se ha ido del trabajo?

○ Sí, me lo ha contado una compañera suya. Tal vez ha encontrado algo mejor y por eso se ha ido.

△ Quizá. Pero, ¿sabes una cosa? si yo hubiera estado en su lugar, no me habría marchado. El trabajo de Marta era muy interesante.

○ Sí, claro, pero si tú encontraras un trabajo mejor, ¿no te irías también?

YO TAMBIÉN CRUCÉ EL RÍO GRANDE.

△ Pos yo hace tiempo que llegué aquí a Los Estados Unidos; crucé el río Grande nadando y me colé por Laredo.

○ ¿Y la Migra?

△ Tuve suerte porque no me pilló, pero si me hubiera agarrado, no me habría rajado. Yo quería venir a los Estados porque aquí hay trabajo y aquí estoy. ¿Y usted?

○ A mí sí que me agarró y me aventó pa Juárez. Pero yo me pinté el pelo güero, volví a entrar y aquí estoy también, compadre.

Pos: pues.
Colarse: entrar ilegalmente.
La Migra: el Servicio de Inmigración de los Estados Unidos.
Rajarse: abandonar un propósito.
Aventar: echar a alguien de un sitio.
Pa: para.
Pintarse el pelo güero: teñirse el pelo de rubio.

Cara a cara

1 Lee de nuevo los diálogos y completa con las expresiones del recuadro. Compara con lo que ha escrito tu compañero(a).

> **A.** Hace tiempo que llegué.
> **B.** A lo mejor, por eso…
> **C.** Tuve suerte,
> **D** Yo te tenía por una persona…
> **E.** Acabo de leer…
> **F.** Si hubiera estado en su lugar…
> **G.** ¿Cómo que no habrá…?
> **H.** Si pudiera elegir,…

1. △ Me parece que no habrá entradas para el concierto de mañana.

○ .... A mí me aseguraron que sí, por eso no las compré antes.

2. △ ¿Lleva mucho tiempo esperando?
○ Sí, ...
△ Perdone el retraso, es que había mucho tráfico.

3. △ Ayer le dije a Pepe que tenía que adelgazar.
○ ¡Qué bruto eres! .... con más tacto, esas cosas no se dicen.
△ .... se enfadó y se fue.
○ ¡Normal! ...., yo habría hecho lo mismo.

4. △ ¡Qué sucia está esta ciudad! ...., me iría a vivir al campo.
○ ¿Al campo? ¿Y no te aburrirías allí?

5. △ ¡Estoy harto! No encuentro trabajo y no sé qué hacer.
○ Yo ...., al terminar mis estudios empecé a trabajar en una oficina y allí estoy todavía.
△ Eso sí que es suerte.

6. △ .... un anuncio que a lo mejor te interesa: Se busca experto(a) en medio ambiente y naturaleza.
○ Sí que me interesa, voy a escribir ahora mismo. Oye, muchas gracias por la información.

2 En parejas, volved a leer el Pretexto y relacionad las siguientes expresiones:

· ¿No ves que…?	· Claro, así es
· Y encima…	· ¿No te das cuenta de que…?
· ¡Vaya pregunta!	· Hay que ver qué…
· ¡Mira qué…!	· Qué pregunta
· Eso es.	· Y además…
· El caso es que…	· Lo cierto es que…

Y, ahora, usadlas en la siguiente conversación:

△ Oye, ¿tú crees que los hombres tienen que preocuparse por resultar atractivos?

○ .... Pues claro.

△ .... a mí los hombres demasiado guapos no me gustan, me parecen un poco presumidos.

○ ¡..................................... exigente! Los prefieres feos e inteligentes, ... con dinero, ¿no?

△ .... Los guapos están demasiado pendientes de sí mismos.

○ Chica, no te entiendo. Tú que siempre hablas de igualdad, ¿..................................... es lo mismo con las mujeres?

△ Sí, bueno, claro, pero…

Gramática

EXPRESAR CONDICIONES

1) CONTEXTO PRESENTE O FUTURO

La realización se presenta como posible.

SI + presente de indicativo,	presente de indicativo futuro / presente de ir a + infinitivo imperativo afirmativo o negativo

– *Si todos tenemos* un poco de cuidado, **podremos** salvar los bosques.
– *Si quieres* ser un perfecto ecologista, **escucha** estos consejos.

2) CONTEXTO PRESENTE O FUTURO

La realización de la condición se presenta como:
  a) imposible
  b) poco probable

Si + imperfecto de subjuntivo (-ra /-se), condicional simple

– *Si fuéramos / fuésemos* animales, cuidaríamos más la naturaleza. (Imposible)
– *Si* en el futuro *usáramos / usásemos* menos el coche, **ahorraríamos** mucha energía. (Poco probable)

3) CONTEXTO PASADO

La realización es imposible.

SI + pluscuamperfecto de subjuntivo (-ra / -se),	condicional perfecto pluscuamperfecto de subjuntivo (-ra)

– *Si yo hubiera sido* Marta, no **me habría ido** / **me hubiera ido** del trabajo.
– *Si hubieran estado* en la fiesta del otro día, se **habrían divertido** / **se hubieran** divertido.

4) CONTEXTO PASADO + PRESENTE / FUTURO

La realización es imposible.

SI + pluscuamperfecto de subjuntivo (-ra/- se), condicional simple

– *Si antes no hubiéramos contaminado* tanto, el clima **no estaría cambiando** ahora.
– *Si se hubieran / hubiesen cortado* menos árboles, no **habría** tantos problemas con la lluvia.

 ¡OJO!

Detrás de SI condicional no se usan :	- futuros y condicionales - presente de subjuntivo - pret. perfecto de subjuntivo

RECUERDA: Para ponerse en lugar de otros, podemos decir: Yo que tú / usted, Yo en tu / su lugar /en tu / su caso	+ condicional simple / perfecto

EXPRESAR CAUSA.

EN PREGUNTAS:	EN RESPUESTAS:

EN PREGUNTAS:

· *¿Por qué* + indicativo *?*
Cuando preguntamos de manera neutra.

· *¿Cómo es que* + indicativo *?*
¿Y eso?
Cuando preguntamos con extrañeza.

EN RESPUESTAS:

· *Porque* + indicativo.
Es la forma más neutra de contestar a una pregunta.
· *Por eso* + indicativo.
Repetimos la causa ya expresada.
· *Como* + indicativo.
Para presentar las causas, por eso siempre inicia la frase.
· *Es que* + indicativo.
Para presentar la causa como una justificación.
· *Lo que pasa es que* + indicativo.
Para presentar la causa de un problema.

△ *¿Cómo es que no* has ido a clase?
○ *Es que* no he oído el despertador.

△ No voy a presentarme al examen final.
○ *¿Y eso?*

△ *¿Por qué* no quedamos para ir juntos al cine?
○ Me encantaría, **lo que pasa es que** me voy esta noche de viaje.

– Marta ha encontrado un trabajo mejor, **por eso** se ha ido.

– **Como** en este país hay trabajo, vienen muchos emigrantes.

¡FÍJATE!:

Si corregimos la causa que otro ha dado, la negamos, y en ese caso aparece el SUBJUNTIVO

NO PORQUE
NO ES QUE
| + SUBJUNTIVO

△ *Tienes mala cara, ¿estás enferma?*
○ **No es que esté** enferma, no te preocupes, **es que estoy muy cansada.**

△ *He dicho que no voy, y no voy.*
○ *¿Por qué? ¿Porque van ellos?*
△ **No es porque vayan ellos,** es porque no me apetece salir.

 PARA EXPPRESAR CAUSA también podemos usar:
POR + sustantivos / adjetivos / infinitivos.

– Los he ayudado **por amistad,** o **por interés.**
– La han contratado **por eficiente y trabajadora.**
– Me han echado **por decir** lo que pienso.

Vamos a practicar

1 Escucha esta entrevista radiofónica y contesta a las siguientes preguntas:

¿De qué país se trata?

....

¿Con quién habla el locutor?

....

¿Qué es el plan "Hoy no circula"?

....

¿De qué problemas se habla?

....

2 Escucha y toma nota de las opiniones. Después añade la tuya y coméntala con tu compañero(a).

VICENTE VERDÚ	MAFALDA	TÚ

3 Reacciona a las preguntas y comentarios de tu compañero(a).

ALUMNO A	ALUMNO B
△ ¿Por qué te irías de un trabajo? ○ Respuesta de B:	△ ¿Cómo es que la gente no se preocupa más por el medio ambiente? ○ Respuesta de A: ....
△ Si me quedara sin trabajo, no sabría qué hacer. ○ Reacción de B:	△ Si pudieras elegir, ¿en qué país te gustaría vivir? ○ Respuesta de A: ....
△ Yo no sé qué hacer si me entra un virus en el ordenador, ¿y tú? ○ Respuesta de A:	△ Te lo digo en serio, si no me llama este fin de semana, no vuelvo a hablarle. ○ Reacción de A: ....
△ ¿Cómo es que nunca llamas a tu familia? ○ Respuesta de B:	△ ¿Por qué las mujeres pocas veces son presidentas de un país? ○ Respuesta de A: ....

4 Di a tu compañero(a) qué debe hacer en estas circunstancias. Recuerda los recursos para aconsejar y dar instrucciones.

Si ve que los vecinos tiran basura en el jardín, **tiene que hablar / hable** *seriamente con ellos.*

1. Si ve que los vecinos tiran basura en el jardín…
2. Si los mismos vecinos hacen mucho ruido hasta muy tarde…
3. Si no le vale la ropa que quería ponerse para la fiesta…
4. Si se queda sin gasolina en una carretera poco transitada…
5. Si se pierde en una ciudad desconocida y no conoce el idioma del país…

5 Convierte estas sugerencias en frases condicionales. Te damos un modelo, pero hay otras posibilidades.

Para aprobar hay que estudiar.   *Si se quiere aprobar, hay que estudiar.*

1. Para mantener limpia la ciudad, todos tenemos que colaborar.

....

2. A veces, para encontrar trabajo, hay que irse a otro país.

....

3. ¿Quieres un mundo desierto en el futuro? ¿No? Pues no lo contamines.

....

4. Lleva una vida sana y vivirás muchos años.

....

5. Organiza bien tu tiempo y trabajarás mejor.

....

6. ¿Quieres estar al día? Pues lee los periódicos o escucha la radio.

....

6 Cuando recordamos el pasado, a veces querríamos cambiar algunas cosas. Aquí hay una serie de situaciones que no nos han gustado. En parejas, imaginad cómo habrían podido ser.

1. De joven quise ser actor, pero mis padres no me dejaron.	Fue una pena, ...
2. Rechacé un trabajo fuera de mi ciudad y perdí la oportunidad de mi vida.	¡Qué tonto fui! ....
3. No saqué las entradas con tiempo y por eso no pude ir al concierto.	Soy poco precavido. ....
4. Durante el curso no habéis estudiado bastante, por eso habéis suspendido.	Hay que aprovechar el tiempo, ...
5. No quisiste venir con nosotros de excursión. Pues nos lo pasamos fenomenal.	¡Eres un aburrido! ....

7 Lee de nuevo la gramática y transforma cada infinitivo en el tiempo verbal adecuado.

La periodista Marta Robles cree que Marilyn Monroe se equivocó al suicidarse. Dice en un artículo aparecido en la revista *Elle*: Si yo (ser) .... ella, no me (suicidar) .... , ni me (dejar) .... influir como ella por las palabras bonitas de todos. Yo, en su lugar, (aprovechar) .... las oportunidades y (aprender) .... de mis errores. Claro que es muy fácil decir esto porque yo no (ser) .... ella ni mi tiempo (ser) .... el suyo. Yo creo que Marilyn era inteligente, pero no quería parecerlo, si se (atrever) .... a mostrarse como era en realidad, (sorprender) .... a todo el mundo, incluso a sí misma. (Texto adaptado)

Ahora, ponte por un momento en el lugar de Marilyn y di cómo habrías actuado.

8 Explica a tu compañero(a) las causas de estas situaciones:

1. △ ¿Por qué crees que en algunos países la gente es poco puntual?

   ○ ¡Vete tú a saber! ....

2. △ ¿No te has enterado del *overbooking* que hubo el otro día en el aeropuerto? ¿En qué mundo vives?

   ○ No es eso, ...

3. △ ¡Qué pronto te fuiste de la fiesta!

   ○ ¡Puf!... .

4. △ ¿Cómo es que nadie nos ha avisado de que no había clase?

   ○ ....

5. △ ¿Por qué elegirían a Martina para ese trabajo?

   ○ A lo mejor ....

6. △ Los ríos están muy contaminados por los vertidos de las fábricas.

   ○ Claro, ...

9 Expresa lo contrario que tu compañero(a).

1. ¿Te vas a quedar en casa sólo porque está lloviendo?
   ....

2. Paula me ha dicho que estás enfadado con ella porque no te invitó a su fiesta el otro día, ¿es verdad?
   ....

3. A veces tienes reacciones de niño: no vienes con nosotros poque también viene Pedro, ¿a qué sí?
   ....

4. A Belén le han dado el trabajo sólo porque es amiga de la directora.
   ....

5. ¿Por qué no dices lo que piensas? ¿Es que tienes miedo?
   ....

10 Tenemos a tu disposición la máquina del tiempo y puedes viajar hacia el pasado. Cuéntanos qué habrías hecho.

En Egipto, en tiempos de Cleopatra.

En México, en tiempos de los aztecas.

En la China imperial.

En tiempos de los vikingos.

Elige tú el período. Compara con tu compañero(a).

12

Se dice así

1 Hemos dicho al principio que si no nos preocupamos un poco, nuestras ciudades se convertirán en lugares insoportables. Coloca al lado de cada dibujo el número de la recomendación que le corresponda.

1. Si no quiere contaminar hasta 600.000 litros de agua, deposite las pilas en los contenedores apropiados.

2. Para ahorrar energía, debemos instalar, siempre que sea posible, paneles solares.

3. Si utilizamos más el transporte público y conseguimos que las autoridades hagan carriles para las bicicletas, nuestra ciudad estará menos contaminada.

4. Si no queremos que nuestra ciudad se convierta en un basurero, no tiremos lo que no necesitamos. Hoy en día muchos productos se pueden reciclar.

5. Si usted quiere la compañía de un perro, edúquelo para que no deje excrementos por todas partes.

6. Ducharse en lugar de bañarse, poner la lavadora sólo cuando es necesario, arreglar los grifos que gotean…, estas son algunas medidas para ahorrar agua en un país como España, donde la sequía es tan frecuente.

Ahora, subraya las palabras que te parecen específicas del lenguaje de la ecología y escribe una redacción dando tu opinión sobre el medio ambiente.

Un paso más

1 Por supuesto que conoces el Amazonas, pero ¿sabías que últimamente ha crecido? Lee el siguiente texto y sabrás cómo.

Dos científicos del Instituto Nacional de Investigaciones Nacionales de Sao Paulo han descubierto que el Amazonas es más largo de lo que dicen los libros. Hasta ahora su longitud era de 6.500 kms., pero, **tras** [1] veinte años de estudios, estos dos expertos han llegado a la conclusión de que el gran río americano nace más de 500 kms. antes de lo que se creía, exactamente entre los montes Kcachuich y Mismi, en los Andes peruanos.

Se han valido de [2] fotografías aéreas y de satélite y han comparado **los sedimentos** [3] del cauce bajo del Amazonas con los de estas fuentes de los Andes peruanos.

Los dos brasileños le han dado al Amazonas el único título que le faltaba al calcular su longitud en 7.100 kms., un récord que hasta ahora **ostentaba** [4] el Nilo con 6.670 kms.

¿Qué crees que significan las expresiones numeradas?

(1) después de / detrás de	(3) las piedras del fondo / las aguas del fondo
(2) han comprado / se han servido de	(4) cabía en / tenía

Lee el texto otra vez y haz un resumen de su contenido.

2 Aquí tienes otras descripciones de ríos. ¿En qué se diferencian unas de otras? ¿Hablan del mismo tipo de ríos?

El alto Tajo no es una suave corriente entre colinas, sino un río bravo que se ha labrado a la fuerza un desfiladero en la roca viva de la alta meseta.

El río que nos lleva. José Luis Sampedro.

Nuestras vidas son los ríos
que van a dar a la mar
que es el morir.
Allí van los señoríos
derechos **a se acabar** (= a acabarse)
y consumir.

Coplas a la muerte de su padre. Jorge Manrique.

Ahora ya sabes

FUNCIONES

Expresar condiciones posibles e imposibles. ☐

Expresar causa y justificación. ☐

Corregir. ☐

Ponerse en lugar de otro. ☐

GRAMÁTICA

Frases condicionales con SI + INDICATIVO / SUBJUNTIVO. ☐

Diferentes formas gramaticales para la expresión de la causa. ☐

La causa negativa:
NO PORQUE / NO ES QUE + SUBJUNTIVO. ☐

VOCABULARIO

El cuidado de nuestras ciudades. ☐

Variantes mexicanas. ☐

UNIDAD 13

¡OTRA VEZ LOS ANUNCIOS!

¿Eres capaz de...?

¿Eres capaz de situar estas frases?

– ¡Pero bueno! ¡Otra vez los anuncios! ☐

– Las campañas contra la droga son también publicidad, ¿no? ☐

– Nos bombardean con marcas, coches, bancos…; total, que no sabes qué hacer. ☐

– Vayas donde vayas, te encuentras un anuncio de Coca - Cola. ☐

Pretexto

PUBLICIDAD Y MANIPULACIÓN.

△ Tú que siempre **te metías con** la publicidad, si no hubiera sido por un anuncio, no habrías encontrado ese trabajo. ¿Qué dices ahora?

○ ¡Hombre! No compares, no es lo mismo.

△ ¿Cómo que no? En el fondo es lo mismo.

○ Mira, lo que a mí no me gusta es que nos manipulen. Por ejemplo, aunque sólo un 12% de los españoles necesita una dieta de verdad, casi todos nos ponemos a pasar hambre como tontos en algún momento. Y esto acabo de leerlo, no me lo invento.

△ Bueno, vale, pero aunque tengas razón, debes reconocer que tiene su lado útil.

PUBLICIDAD Y TELEVISIÓN.

△ ¡Pero bueno! ¡Otra vez los anuncios! ¿**Es que no hay manera de** ver una película sin que la corten veinte veces?

○ Aquí, no. Los espectadores no pagamos por ver la tele; por lo tanto, las cadenas ponen anuncios.

△ Pues no sé si me acostumbraré a tantos cortes.

○ Entonces tendrás que abonarte a un canal de pago.

△ O dejar de ver la tele.

PUBLICIDAD E INFORMACIÓN.

△ Yo creo que la publicidad es algo tremendamente creativo y, sin embargo, todo el mundo la critica.

○ **No te pases**, todo el mundo, no. Pero, claro, nos bombardean con marcas, con viajes, con bancos…; total, que no sabes qué hacer cuando tienes que decidirte por algo.

△ Pero eso pasa porque hay demasiada información, no porque la publicidad sea mala.

○ El caso es que vayas donde vayas, te encuentras un anuncio de Coca - Cola, ¿o no?

PUBLICIDAD Y SOLIDARIDAD.

△ Yo no sé por qué la gente critica tanto la publicidad. También tiene su lado positivo.

○ ¿Ah, sí? ¿Cuál?

△ Las campañas en favor de los países del Tercer Mundo o contra la droga son también publicidad, ¿no?

○ De acuerdo, pero yo no hablo de eso, sino del bombardeo diario con los coches, detergentes,… todo ese rollo.

△ Entonces, ¿cómo quieres que las empresas vendan sus productos? Además, la publicidad también informa.

○ Será muy informativa, pero a mí **me pone de los nervios.**

PUBLICIDAD Y MARCAS.

△ ¿Creéis que la publicidad nos influye?

○ A mí no, **desde luego**. Yo no me fijo en los anuncios.

□ Pues yo creo que nos afecta a todos, aunque no nos demos cuenta.

⬚ Es verdad, y si no, sólo hay que ver lo que pasa con las marcas.

□ Eso, ¿o es que tú no llevas nada de marca?

○ Bueno, sí, claro. Los vaqueros son de marca.

⬚ ¿Ves? Y es que, digas lo que digas, **te tienen pillado.**

Cara a cara

1 Lee de nuevo los diálogos y completa con las expresiones del recuadro. Compara con lo que ha escrito tu compañero(a).

> **A.** El caso es que vayas donde vayas, te encuentras…
> **B.** Entonces tendrás que abonarte a un canal de pago.
> **C.** Digas lo que digas…
> **D.** Aunque tengas razón, debes reconocer…
> **E.** Será muy informativa, pero…
> **F.** No pagamos por ver la tele, por lo tanto…

1. △ Hace dos meses que no veo la tele y es algo que todo el mundo debería hacer por higiene mental.

○ Pues yo no creo que tengas mucho éxito con tu idea, la gente no puede vivir sin televisión …………………………………………………… . Además sirve para estar informados.

△ …………………………………………………… yo prefiero un buen libro y el periódico.

2. △ Quiero ver las películas sin que las corten con anuncios.

○ ……………………………………………

3. △ Aquí, en España, hay muchísima publicidad durante los programas, ¿no te parece?

○ Claro, es que ……………………………………………… hay que sacar dinero de los anuncios.

4. △ No soporto a Marcos, es un presumido que se cree que lo sabe todo.

○ ¡Pobre chico! Yo creo que exageras, porque …………………………………………………… que también es muy brillante.

△ A lo mejor sí, pero a mí **me cae gordo**, ya está.

5. △ El mundo es por todas partes igual ………………… …………………………………… las mismas cosas, ya no existe la diferencia.

○ Ya empiezas tú con tus cosas. Claro que existe la diferencia, sólo hay que saber buscarla.

> **Me cae gordo:** me cae mal, no me resulta simpático.

2 En parejas, volved a leer el Pretexto y relacionad las siguientes expresiones:

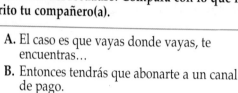

· Desde luego.	· No exageres.
· Meterse con algo / alguien.	· Cosas que se repiten, que son siempre igual.
· No te pases.	· No gustar, poner(se) nervioso(a).
· Poner de los nervios.	
· Tener pillado(a) a alguien .	· No tener salida.
	· Criticar algo o a alguien.
· Todo ese rollo.	· Por supuesto.

Y, ahora, reaccionad a los comentarios usándolas.

1. △ ¿Vas a irte de vacaciones?

○ …………………………………… , si no, no podría seguir trabajando.

2. △ ¿Qué te pasa con Beatriz?

○ Que …………………………………… con sus historias, no la aguanto.

3. △ Son unos maleducados, unos groseros.

○ ……………………………………… , que los hay peores.

4. △ ¿Por qué no te vas del trabajo, si tan mal te sientes?

○ Es que me ………………………………………, no puedo irme.

5. △ Tienes que leerte esto.

○ ¿………………………………………? ¡Pero si es muchísimo!

6. △ ¿Por qué no te hablas con Paco?

○ Porque siempre …………………………………… y con lo que hago.

Gramática

EXPRESAR CONCESIÓN

Aunque + INDICATIVO	Aunque + SUBJUNTIVO

• Tenemos experiencia de los hechos de los que hablamos.
 	
 • Queremos informar de ellos.
 	
 – *Aunque* sólo un 12% de los españoles **necesita** una dieta de verdad, la mayoría se pone a hacer una en algún momento de su vida.
	a) • No tenemos experiencia de los hechos de los que hablamos.
	 • Son desconocidos.
	 • No estamos seguros de lo que decimos.
	   – *Yo creo que la publicidad nos afecta a todos,* **aunque no nos demos cuenta**.
	
	 b) • Hablamos de información compartida por todos.
	 • Usamos el subjuntivo para quitar importancia a ese hecho.
	   △ *Oye, yo soy española, sé de lo que hablo.*
	   ○ **Aunque seas española**, *estás equivocada.*

PARA CONTRASTAR O LIMITAR LAS EXPECTATIVAS LÓGICAS CREADAS POR UNA INFORMACIÓN, USAMOS:

PERO

· Información: *Martina es extranjera.*
· Expectativa lógica: *No habla español.*
· Contraste: **Pero habla como una nativa.**

SIN EMBARGO

· Tiene el mismo valor.
· Se usa en registros más cultos.
· Va seguido de pausa.
– *Martina es extranjera y,* **sin embargo**, *habla como una nativa.*

SINO

· Sirve para **corregir** completamente una negación anterior.
– *No he dicho que Martina sea nativa,* **sino** *que habla como una nativa.*

 No confundamos SINO con SI NO condicional.

Tienes que practicar más; **SI NO**, nunca hablarás bien.

FÍJATE

A. Frase en futuro, + PERO + frase = AUNQUE

– *Este pantalón es una ganga.*
– *Será muy barato,* **pero** *no pienso comprarlo.* = *Aunque sea muy barato, no pienso comprarlo.*

B.

V(1) en subjuntivo presente / imperfecto	+	como donde quien cuando lo que	+	V(1) en subjuntivo presente / imperfecto

– *Diga lo diga, no le escuches.* = **Aunque sea interesante lo que diga**, ...
– *Llame quien llame, no estoy.* = **Aunque llame alguien importante**, ...

EXPRESAR CONSECUENCIA

- Para expresar la consecuencia de lo que acabamos de decir:

  Así (es) que | **+ indicativo**
  Entonces

  – *No sabes de qué estamos hablando, **así que** es mejor que te calles.*

- Para insistir en la relación causa - efecto:

  Por lo tanto + indicativo

  – *El dólar ha subido, **por lo tanto** la gasolina está más cara.*

- Cuando interrumpimos un relato, una enumeración, introducimos la consecuencia con:

  Total, que + indicativo

  – *Llegamos tarde, había mucha gente y una cola enorme para entrar; **total, que** nos fuimos a tomar algo y a dar un paseo.*

ALGUNAS PREPOSICIONES

ANTE

Delante de
 – *Ante una situación tan difícil, hay que ser prudentes.*

En presencia de
 – *Aunque no es tímido, se pone nervioso **ante** la gente.*

Ante todo
 – *Ante todo, pensemos bien lo que vamos a hacer.*

BAJO

Debajo de
 – *Se escondió **bajo** la mesa.*

Idea de dependencia
 – *Todo está **bajo** control.*
 – *Está **bajo** los efectos de un calmante.*

SOBRE

Encima de
 – *Todo está ahí, **sobre** tu mesa.*

Tiempo aproximado
 – *Llegaremos a Málaga **sobre** las 11h.*

Tema
 – *Acabo de leer un libro **sobre** los faraones.*

ENTRE

En medio de
 – *Encontré las fotos **entre** los libros.*

Colaboración
 – *Lo haremos **entre** todos.*

CON

Compañía; relación
 – *Me gusta salir **con** mis amigos.*
 – *Hay que ponerse de acuerdo **con** todos para los cambios.*

Contenido
 – *Les enviaré un fax **con** los detalles del viaje.*

Encuentro; choque
 – *Nos encontramos **con** ellos en México.*
 – *Espero que no tropiecen **con** los problemas típicos.*

SIN

Ausencia de algún elemento
 – *No se puede resistir este frío **sin** calefacción.*
 – *No compres nada **sin** informarte antes.*

En las despedidas de las cartas
 – *Sin otro particular / Sin más, nos despedimos atentamente.*

Sin que + subjuntivo
 – *¡Es increíble! He trabajado toda la mañana **sin que** suene el teléfono.*

Vamos a practicar

1 Escucha las opiniones de María Rodríguez, presidenta de una asociación de consumidores, sobre la publicidad que aparece en las películas y series. Después, toma notas y contesta con tus propias palabras.

△ ¿Qué opina su organización de esta publicidad conocida como *product placement*?

○ Dice que ....

△ ¿Dónde suelen encontrar más a menudo esta publicidad?

○ ....

....

△ ¿Qué hacen ustedes contra ello?

○ Opina que ....

....

> *Ven a la tierra donde el Sol*
> *nunca se va de vacaciones.*

2 En primer lugar, transforma el infinitivo en la forma correcta.

1. El 75% de las mujeres españolas se encuentran gordas aunque médicamente sólo lo (estar) .... el 25%.

2. Aunque Evita (tener) .... mucho más poder social e influencia política, nunca (llegar) .... a la presidencia. Sin embargo, María Estela Martínez (Isabelita) (ser) .... la primera mujer presidenta de Argentina y del mundo, al sustituir a su marido, Juan Domingo Perón, cuando éste murió.

3. Los jóvenes **se dejan llevar por** las modas, aunque éstas les (perjudicar) ....

4. Aunque esta gente nunca (hacer) .... nada importante, **sale en las revistas** casi cada semana; me pregunto por qué será.

5. Hay un tipo de jóvenes que se preocupa por los demás, aunque se (hablar) .... más de los otros, de los que **no hacen gran cosa** con sus vidas.

Y ahora, comenta con tu compañero(a) si estas frases tienen alguna relación con la influencia de la publicidad.

3 ¿Cuál te parece la consecuencia lógica de las afirmaciones de tu compañero(a)? Usa los recursos que has visto en la gramática.

*- Me he gastado el dinero que tenía antes de tiempo. **Por lo tanto, no puedo ir con vosotros de excursión.***

ALUMNO A.	ALUMNO B.
1. Me he gastado el dinero que tenía antes de lo previsto. Consecuencias:	1. Este invierno ha llovido más que otros años. Consecuencias: ....
2. Nos quedamos sin gasolina en medio del campo. Consecuencias:	2. Hacía mucho calor, había demasiada gente, no encontrábamos aparcamiento… Consecuencias: ....
3. En casa no tenemos televisión. Consecuencias:	3. He leído que en estos días habrá quince millones de coches en las carreteras. Consecuencias: ....

4 Te proponemos estas ideas con las razones por las que nos parecen buenas o malas. Coméntalas usando *aunque* o *futuro + pero*.

- *Aunque quite* tiempo, a mí me relaja verla | - **Quitará tiempo, pero** a mí me relaja verla.

1. – Ver mucho la televisión atonta y quita tiempo para hacer cosas más interesantes.

....

2. – Leer demasiado aísla de la realidad.

....

3. – Estudiar la gramática de un idioma complica mucho las cosas a la hora de hablar.

....

4. – No seguir las modas te hace **parecer un bicho raro**.

....

5. – La publicidad no sirve para nada y, además, nos manipula.

....

5 Fíjate en las expresiones en negrita que aparecen en las prácticas propuestas hasta aquí. ¿Qué crees que significan? Intenta completar estos diálogos usándolas sin consultar el diccionario y sin preguntar a tu profesor(a).

dejarse llevar por
parecer / ser un bicho raro
antes de lo previsto
no hacer gran cosa
atontar
salir en las revistas.

1. △ Trabajar tantas horas con el ordenador ....
  ○ Entonces trabaja menos tiempo seguido.

2. △ Si .... las opiniones de los demás, no vivirás tu propia vida.
  ○ ¿Y cómo haces tú para no escucharlas?

3. △ ¿Por qué estás de tan mal humor?
  ○ Es que he estado tres o cuatro horas delante del libro, pero ...., no podía concentrarme.

4. △ Cuando digo a la gente que no fumo ni bebo alcohol, me miran con una cara ….
  ○ Normal, chica, es que les .... , ¿o tú conoces a mucha gente así?

5. △ Creo que terminaré el trabajo ....
  ○ ¡Qué bien! Así tendrás unos días de descanso.

6. △ Me gustaría saber qué hay que hacer para ....
  ○ A veces nada, sólo tener unos padres famosos.

6 Completa:

aunque
pero
sin embargo
sino
si no

¿Has oído hablar de las "bebidas inteligentes"? Por supuesto que sí, ..., es que vives fuera del mundo. Hace apenas diez años que llegaron a Europa, ... ya ha invadido las discotecas y gimnasios, **haciendo furor** entre los amantes de productos naturistas, las personas estresadas, los deportistas, los que quieren energía extra…. Normalmente saben a naranja, limón, maracuyá y otras frutas, por eso parecen **inofensivas**. ...., no son recomendables para los niños, ni para las embarazadas. .... parece que aumentan la **lucidez** mental y vencen el sueño, hay que tomarlas **con moderación**, no porque supongan un peligro para la salud, ... porque se sabe todavía muy poco sobre ellas.

Ahora, elige la opción más adecuada al contexto.

Hacer furor	enfadar a alguien / tener éxito	Con moderación	con cuidado / con buenos modales
Inofensivas	no engordan / no son peligrosas	Lucidez	buena iluminación / claridad de ideas

7 Elige la preposición correcta.

1.- Me encuentro **ante / bajo** un problema que no sé cómo resolver.

2.- No puedo decidir cuando me encuentro **bajo / sobre** presión, necesito tiempo.

3.- No se puede discutir **con / sobre** ese tipo, tiene un carácter insoportable.

4.- Lo haremos **entre / sin** todos, será más fácil si repartimos el trabajo.

5.- **Ante / entre** esa gente me siento incómoda, tengo la impresión de que me juzgan.

6.- **Con / sin** vuestra ayuda lo haré mejor, no necesito a nadie.

8 Estos mini-diálogos se nos han descolocado. ¿Podéis emparejarlos de forma que tengan sentido?

1. △ Al principio a todos les pareció muy bien la idea de ir de acampada, luego empezaron a poner excusas, a decir que en esa época hacía mucho frío en la sierra…

2. △ Estoy harta de esos chicos; la próxima vez que me llamen para ir a algún sitio, les digo que estoy enferma.

3. △ ¡Qué pesado es Antonio! Cuando empieza a hablar, no hay quien le calle.

4. △ El próximo fin de semana empezamos las obras en la casa y vamos a estar liados casi dos semanas.

5. △ Tengo que llamar a mi padre para pedirle dinero prestado y no me apetece nada.

A. ○ Pues, **aunque** no te apetezca, tendrás que hacerlo.

B. ○ **Entonces**, ¿no vais a venir con nosotros a la feria?

C. ○ **Será pesado**, pero es una gran persona, vamos, digo yo.

D. ○ **Total que** al final nadie quiso ir con vosotros, ¿no?

E. ○ **Digas lo que digas**, no vas a dejar de salir con ellos.

Se dice así

1 Diversos estudios sociológicos demuestran que clasificamos a una persona en función de lo que consume. Aquí tienes algunas marcas y lo que sugieren, según un artículo aparecido en la revista QUO de octubre de 1995.

En pequeños grupos, haced vuestras asociaciones, explicando el porqué.

BENETTON
LEVI'S
ADDIDAS
SWATCH
COCA COLA
PEPSI
SCHWEPPES
MERCEDES
FORD
SEAT

· amante de los motores
· la solidaridad elegante
· un paso adelante
· ese azul objeto de deseo
· ya eres mayor
· un ser hecho a sí mismo
· producto nacional
· desenfreno juvenil
· igualdad embotellada
· un ser original

LA MUJER EN LA PUBLICIDAD

2 Os proponemos ahora un pequeño juego. Tenéis que lanzar un producto. Primero tenéis que decidir qué producto queréis lanzar y ponerle una MARCA. Luego, tenéis que elegir un LOGOTIPO; una MASCOTA; un ESLOGAN PUBLICITARIO y unos PATROCINADORES. Después haréis una presentación en clase y votaréis el mejor.

Aquí os damos algunos ejemplos de todo ello:

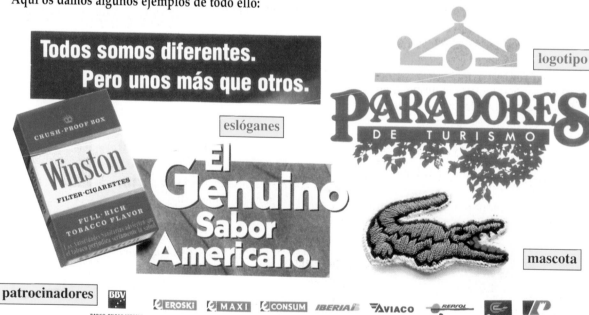

Todos somos diferentes. Pero unos más que otros.

logotipo

PARADORES DE TURISMO

eslóganes

Winston FILTER-CIGARETTES FULL-RICH TOBACCO FLAVOR

El Genuino Sabor Americano.

mascota

patrocinadores

 BBV BANCO BILBAO VIZCAYA
 EROSKI
 MAXI
 CONSUM
 IBERIA
 AVIACO
 Repsol
 Campsa
 Petronor

 BOXES
 Telefónica
 MoviLine
 MoviStar
 AVIS
 MultiÓpticas
C&A Moda y Mucho Más
fnac
Sol Meliá

Un paso más

1 Hagamos ahora publicidad retrospectiva. ¿Conoces un alga llamada spirulina?
Lee el siguiente texto y sabrás algo sobre su origen y su historia.

Actualmente, la spirulina es usada por deportistas, por personas con problemas nutricionales o bien como complemento en dietas de adelgazamiento. Pero su historia se remonta a los tiempos de los aztecas. Ellos la llamaban Tecuitlatl y era esencial para la salud y la alimentación de esta cultura. Hernán Cortés no dio importancia a este tipo de producto autóctono y mandó secar el lago Texcoco para cultivar allí otros productos.

Los cronistas del descubrimiento hablan de este alimento en sus escritos y dicen que los aztecas comían tecuitlatl como los españoles el queso; añaden que hacían tortas que después tostaban. Parece que las probaron porque dicen que tenían sabor a sal. Hoy día se ha vuelto a cultivar la spirulina en el lago Texcoco aunque en cantidades mucho menores.

Busca en el texto sinónimos de estas ideas:

ser importante para   descubrir un misterio   llegar hasta una época   regímenes para perder peso   producir

Hablemos ahora de un producto mucho más conocido y agradable,
pero de origen precolombino también: el chocolate.

Fueron los mayas los que tuvieron las primeras plantaciones de cacao en Yucatán. Los aztecas fueron los primeros en atribuir a las semillas del cacahoatl virtudes sagradas y beneficiosas. Según cuenta la leyenda, el dios Quetzaltcoatl –"la serpiente emplumada"– dio el cacao a los hombres contra el hambre y la sed y para curar sus enfermedades. También servía para infundir la ciencia universal. Los reyes bebían el xocolatl (xococ = amargo y alt = agua) en vasos de oro que luego se tiraban al río.
Los aztecas llamaron al árbol del cacao "el árbol más bello del paraíso" y lo adoraban porque pensaban que tenía origen divino.
Y fue Hernán Cortés quien trajo el cacao a España y así se extendió por Europa.

Después de leer los dos textos, contesta a las siguientes
preguntas y haz un resumen de ambos.

– ¿Qué diferencias hay entre la spirulina y el cacao?
– ¿Servían - y sirven - para lo mismo ambos productos?
– ¿Cómo se usan hoy día los dos alimentos?
– ¿Cuál es el origen de cada uno?

Ahora ya sabes

FUNCIONES	GRAMÁTICA	VOCABULARIO
Expresar concesión ☐	*Aunque* + INDICATIVO / SUBJUNTIVO ☐	Los aztecas y sus remedios: las algas y el cacao. ☐
Expresar consecuencia ☐	Otras expresiones de concesión: futuro + *pero*; reduplicadas. ☐	
Contrastar y corregir afirmaciones ☐	Conjunciones consecutivas ☐	
	Pero, sin embargo / sino ☐	
	Preposiciones. ☐	

¿Eres capaz de...?

¿Eres capaz de situar estas frases?

– ¿Has leído la nota que dejé en tu mesa?

– Me dijo que le habían ofrecido trabajo en una empresa de exportación.

– ¿Quieres que le diga algo?

– La postal decía que no podría venir a pasar dos semanas.

Pretexto

¡ME HAN OFRECIDO UN TRABAJO!

△ ¡Rosa! ¡Cuánto me alegro de verte! ¿Cómo estás?

○ **Como unas Pascuas.** Fíjate que terminé la carrera en junio y me han ofrecido un trabajo para empezar en octubre. Me van a hacer un contrato por tres años. No está mal, ¿eh?

△ ¿Qué dices? ¡Es genial! ¿Y dónde vas a trabajar?

○ En una empresa de exportación, así que tendré que traducir un montón de documentos.

△ Pues me alegro muchísimo, espero que te vaya muy bien.

○ La verdad, yo también. ¡Vamos a tomar algo para celebrarlo!

POR TELÉFONO.

△ ¿Sí? ¿Dígame?

○ Hola, buenas tardes, Pepe, soy Victoria.

△ No soy Pepe, soy su hijo.

○ Perdona, es que tenéis la voz igualita, ¿está tu padre?

△ No, no está, ¿Quieres que le diga algo?

○ Sí, por favor, que si tiene en casa *Español sin fronteras*, que lo necesito y que…. Bueno, mejor que me llame. Oye, **que no se te pase** decírselo, ¿eh? Y gracias

△ De nada, adiós.

AYER TE LLAMARON POR TELÉFONO.

△ Papá, anoche no te vi, ¿Has leído la nota que dejé en tu mesa?

○ No, hijo, todavía no. ¿Qué dice?

△ Que ayer te llamó Victoria para preguntar si tenías aquí *Español sin fronteras* porque lo necesitaba. Al final dijo que sería mejor que la llamaras tú.

○ Muy bien, ¿nada más?

△ No, bueno, lo de siempre: comentó, como todo el mundo, que teníamos la voz igualita.

¿QUÉ TE CONTÓ?

△ ¿Sabes? Hace unos días me encontré con Rosa. ¡Qué suerte tiene!

○ ¿Por qué lo dices? ¿Qué te contó?

△ Que había terminado la carrera en junio…

○ Sí, pero eso ya lo sabíamos, Rosa siempre ha sido un poco empollona.

△ **Ya, ya**, pero lo de la suerte lo digo porque me contó que le habían ofrecido trabajo en una empresa de exportación, que el contrato era por tres años y, para más suerte todavía, va a trabajar en lo suyo: en traducción.

○ Bueno, ¡hombre! No lo digas así. ¿Qué pasa, que te da envidia?

△ **¡Anda ya!** ¿Cómo me va a dar envidia si Rosa es una de mis mejores amigas?

EL OTRO DÍA LLEGÓ UNA POSTAL.

△ Mariano, se me olvidó decirte que el otro día llegó una postal de Concha.

○ Nunca me cuentas nada. ¿Y qué decía?

△ **No seas gruñón**, ¿no te lo estoy contando ahora? Decía que no podría venir las dos semanas que nos había prometido, por lo de siempre, que tenía mucho trabajo y que cuando le dieran no sé qué vacaciones, vendría a finales de año.

○ **¡Qué se le va a hacer!** Esta chica trabaja demasiado.

Querida tía:
¿Cómo estáis Mariano y tú? Yo, como siempre, **a tope de trabajo**, por eso no sé si podré quedarme allí todo el tiempo que había prometido pasar con vosotros. De todas formas iré, al menos un fin de semana y quizá pueda estar algo más, pero ahora mismo no lo sé. Espero que lo comprendáis. Ya tendremos ocasión, cuando me den a finales de año unas vacaciones que me deben en la oficina.
Un beso muy fuerte para los dos y hasta pronto.

Concha.

Cara a cara

1 Lee de nuevo los diálogos y completa con las expresiones del recuadro. Compara con lo que ha escrito tu compañero(a).

> **A.** Se me olvidó decirte que el otro día llegó una postal.
> **B.** Un beso muy fuerte para los dos y hasta pronto.
> **C.** ¿Qué pasa, que te da envidia?
> **D.** Tendré que traducir un montón de documentos.
> **E.** Cuando le dieran no sé qué vacaciones, vendría.
> **F.** Al final dijo que sería mejor que la llamaras tú

1. △ ¡Qué suerte tiene Martina! Ha encontrado un trabajo que le gusta y, además, bien pagado.

○ ....

△ ¡Qué dices! Me alegro mucho por ella, porque vale mucho.

2. △ Martina, me han dicho que has encontrado el trabajo de tu vida, ¿no?

○ ¡No hay que exagerar! El trabajo de mi vida no es, pero estoy contenta. Al principio ...., pero luego me ocuparé de la sección de ventas. Eso es más creativo y me atrae más.

△ Claro, es normal.

3. △ Hace mucho que no tenemos noticias de Martina, ¿verdad?

○ ¡Ah! ¡Qué cabeza tengo! ....

△ ¿Y qué decía?

○ Que ....

△ Hay que hablar con ella, porque si no descansa un poco, se va a poner enferma.

(En el contestador del teléfono)

4. – ¡Hola! Soy Martina. Ya veo que no estáis en casa. Llamo para deciros que llegaré a finales de mes para pasar unos días con vosotros ....

5. △ ¿Es que los de tu oficina no pueden vivir sin ti? Anoche te llamó Marta y quería no sé qué de unos presupuestos.

○ Pero, ¿qué quería exactamente?

△ ¡Ay, hija! Yo no entendía muy bien y .... al móvil.

2

En parejas, volved a leer el PRETEXTO y relacionad las siguientes expresiones:

· Como unas Pascuas.	· ¡Es estupendo!
· ¡Qué se le va a hacer!	· No, en absoluto.
· Ya, ya.	· Muy contento(a).
· ¡Es genial!	· Sí, ya lo sé.
· ¡Anda ya!	· Muchísimo.
· A tope.	· No podemos hacer nada.

Y, ahora completad los diálogos.

1. △ ¿Te ha molestado que no venga Sara?

○ ...., me da igual, no sé por qué lo dices.

2. △ ¡Me han tocado cinco millones en la lotería!

○ .... Invitarás a algo, ¿no?

3. △ Este año no podremos salir de vacaciones.

○ ...., otro año será.

4. △ Estamos .... de alumnos.

○ .... , me lo has dicho cien veces.

5. △ Me he encontrado con Rocío y está .... porque tiene trabajo para este verano.

○ Chica, pues me alegro, tú, ¿no?

Gramática

ESTILO INDIRECTO

VERBO INTRODUCTOR EN PASADO.

- Si te refieres a algo escrito, una postal, una carta, un periódico, etc., el verbo introductor suele estar en IMPERFECTO.

  △ *Se me olvidó decirte que el otro día llegó **una postal** de Emmy.*
  ○ *¿Y qué **decía**?*
  △ *Que lo estaba pasando muy bien en Rusia y que volvería en octubre.*

- Al cambiar de tiempo y lugar hay otros elementos de la frase que también hay que transformar, además de los tiempos verbales.

Aquí ⟶ ahí / allí	mañana ⟶ al día siguiente
este ⟶ ese / aquel	por ahora ⟶ hasta entonces
hoy ⟶ ese /aquel día	dentro de ⟶ al cabo de / después de dos días / después
ahora ⟶ entonces	pasado mañana ⟶ al día siguiente
ayer ⟶ el día anterior	venir ⟶ ir
ir ⟶ venir	traer ⟶ llevar
llevar ⟶ traer	

- Si lo que repite otra persona sigue siendo válido, no es necesario cambiar los tiempos de la primera frase.

RUSIA

Queridas amigas:
*Rusia **es** una maravilla, he visitado un montón de sitios y he pensado mucho en vosotras porque este país **está lleno** de lugares preciosos que deberíais conocer.*
Un beso muy fuerte para las dos.
Emmy

– *La postal de Emmy **decía** que Rusia **es** una maravilla y que **está llena** de lugares que deberíamos conocer.*

14

• Veamos ahora las transformaciones verbales y pronominales.

△ *¿Qué dijo / decía / había dicho?*　　　　○ *Dijo / decía / había dicho que ….*

Frase en presente de indicativo o subjuntivo. Imperativo.	Imperfecto de indicativo o subjuntivo.
– *Les **agradecemos** una vez más **su** amabilidad.*	*(que) **nos agradecía nuestra** amabilidad.*
– *Es importante que **sepamos** con tiempo el día de su llegada*	*(que) **era** importante que **supieran** con tiempo el día de nuestra llegada.*
– *En caso de duda, **llamen** por favor al número adjunto.*	*(que) **llamáramos** por teléfono si teníamos dudas sobre la cuenta que nos adjuntan.*

Frase en futuro simple o perfecto.	Condicional simple o perfecto.
– *Dile a Paco que **lo llamaré** más tarde.*	*(que) **te llamaría** más tarde .*

Frase en pretérito perfecto de indicativo o subjuntivo.	Pluscuamperfecto de indicativo o subjuntivo.
– *En **vuestra** casa lo **hemos pasado** estupendamente.*	*(que) **aquí (en nuestra casa)** lo **habían pasado** estupendamente.*
– ***Nos** parece increíble que no **haya llegado** todavía la carta que enviamos hace dos meses.*	*(que) **les** parecía increíble que no **hubiera llegado** la carta que enviaron hace / hacía dos meses.*

Frase en pretérito indefinido.	Pluscuamperfecto o no cambia.
– ***Enviamos** la reserva hace tres semanas.*	*(que) **habían enviado / enviaron** la reserva **hacía / hace** tres semanas.*

Frases en imperfecto, condicional y pluscuamperfecto.	NO CAMBIAN.
– *Todo **era** como **me lo imaginaba***	*(que) todo **era** como **se lo imaginaba**.*
– *Aunque **habían pagado** quince días, se fueron una semana antes*	*(que) aunque **habían pagado** quince días, se fueron una semana antes.*
– ***Me gustaría** escapar de aquí a un lugar más tranquilo.*	*(que) **le gustaría** escapar de allí a un lugar más tranquilo.*

• **Cuando quieres mostrar que no estás seguro(a) de lo que dices, puedes usar expresiones como:**

　　· Por lo visto…
　　· Según dicen…　　　　△ *Por lo visto, va a subir el precio de la gasolina.*
　　· Al parecer…　　　　○ *¿Otra vez?*

Vamos a practicar

1 Escucha la entrevista que le hizo Soledad Alameda en agosto de 1997 a Álvaro Mutis, escritor colombiano, premio Príncipe de Asturias de las Letras en 1997, y resúmela poniéndola en estilo indirecto.

....
....
....
....
....
....

2 Citas. Los famosos se hacen famosos por muchas razones y luego, lo que dicen, a veces, pasa a la historia. Aquí tienes una serie de citas que tú tienes que transmitir de manera indirecta.

1. Alfredo Landa, actor español: " Los españoles no tenemos ningún sentido del humor, sino un sentido trágico de la risa. En vez de **quitarle aristas a la vida**, le añadimos unas cuantas".

   Alfredo Landa dijo una vez que ....

2. Iván de la Peña, futbolista: "No ha sido fácil llegar hasta dónde he llegado porque el sacrificio ha sido grande, pero **ha valido la pena**. No me arrepiento de nada".

   ¿Por qué diría I.P. que ....?

3. Margaret Thatcher, política británica: "Tengo una extraordinaria paciencia, siempre que al final consiga **salirme con la mía**".

   Leí que M.T. había dicho que ....

4. Eduardo de Filipo, dramaturgo italiano: " No me importa que la gente llegue tarde al teatro. Lo que no puedo aceptar es que se vayan antes de terminar el tercer acto".

   E. de F. dijo una cosa un poco rara para mí, que ....

5. Isabel Lledó, directora de finanzas y planificación de IBM: "Tengo miedo de **que el trabajo me absorba tanto** que me quede sin amigos y sin conversación".

   I. Ll. dijo que ....

6. Mary Corelli, escritora inglesa: "Nunca me casé porque no tenía necesidad de hacerlo. Tengo tres animales domésticos que cumplen la misma función que un marido: un perro que gruñe por la mañana, un loro que suelta palabrotas por la tarde y un gato que llega a casa muy tarde por la noche".

   A M. C. no parecía gustarle el matrimonio porque dijo que ....
   ....

Comentad entre vosotros estas frases y, si estáis inspirados, podéis inventar otras sobre el mismo tema.

3 A partir del contexto de las frases, ¿cómo explicarías lo que va en negrita?

Quitarle **aristas** a la vida ....

Ha valido la pena ....

Salirme con la mía ....

El trabajo me **absorbe** tanto ....

4 Y ahora volvamos a la gente normal. Aquí tienes frases que se cuentan unos amigos a otros. Haz las transformaciones necesarias.

1. *Estoy locamente enamorado de ti; por mí, podemos casarnos mañana.*

Al día siguiente.

△ ¿Sabes? Ayer, por fin, se me declaró Juan.

○ ¿Y qué te dijo?

△ Que ....

2. *No te entiendo, si yo estuviera en tu lugar, no aceptaría un trabajo así.*

Días después:

△ ¿Sabes lo que me dijo el presumido de Miguel?

○ Cualquier cosa, viniendo de él…

△ Pues que ....

3. △ *Sería para mí un honor invitarte a cenar.*
   ○ *Me encantaría.*

Otro día.

△ La semana pasada Antonio me invitó a cenar, pero lo mejor fue cómo me lo dijo.

○ ¿Cómo fue?

△ ¡Fíjate! Me dijo que ....
   ....

4. *Otra vez estamos en la Feria de abril y no sé bailar sevillanas; este invierno me apunto a una academia.*

Ya en invierno.

△ ¿Qué tal llevas las sevillanas?

○ ¿Qué sevillanas?

△ ¿Pero no dijiste en abril que ....
   ....?

5. *No me esperéis para comer porque llegaré con retraso.*

Al día siguiente.

△ ¿Cómo es que Piedad no ha venido todavía?

○ Ayer dijo que ....

6. *Me tenéis harta con lo del fútbol, ¿es que no sabéis hablar de otra cosa?*

Unos días después.

△ Mis compañeros siempre me están contando los partidos que ven en la tele; el otro día no aguanté más.

○ ¿Qué les dijiste?

△ Pues que ....

5 Noticias. Aquí te damos una serie de noticias que tu compañero(a) no conoce. Cuéntaselas.

ALUMNO A	ALUMNO B
Dos jóvenes, uno de 25 años y otro de 20, asesinan cruelmente a un hombre de 52 años mientras hacían realidad un juego de rol, que habían planeado cuidadosamente. *La acusación pide para ellos treinta años de cárcel.* **¿Leíste el otro día la noticia de que dos jóvenes** ....?	*El escritor colombiano, Premio Nobel de Literatura, Gabriel García Márquez, defendió en el Congreso de Zacatecas (México) en abril de 1997, la supresión de algunas de las normas de ortografía para que éstas no asfixien a la lengua y a los hablantes.* **¿Sabías que García Márquez dijo que** ....?

ALUMNO A	ALUMNO B
Moshe Alamaro, del Instituto Tecnológico de Massachusetts, ha propuesto el lanzamiento de árboles desde aviones como solución al problema de la deforestación del suelo. Cada árbol estaría enraizado en un cono biodegradable y sería soltado a 300 km./h. La primera gran prueba está programada para finales del 97.	*Todo el país habla de ello: la Infanta Cristina de España y el jugador de balonmano Iñaki Urdangarín se han casado. Aunque Iñaki es de origen vasco, como nos indica su nombre, ambos viven y trabajan en Barcelona, ciudad en la que celebraron la boda y donde seguirán viviendo.*
Leí en el *Quo* de septiembre que	**¿No lo leíste? Pues todos los periódicos traían la noticia de que** ....

6 Vuestra jefa se ha ido una semana a Brasil para hacer negocios, pero llama a la oficina todos los días para saber qué pasó el día anterior y para que le contéis todos los mensajes que le dejaron las personas que llamaron. Elaborad los mensajes de lunes a viernes y hablad con la jefa al día siguiente.

Lunes	Conversación con la jefa el martes.
Notas y comentarios del día: .... Mensajes:	

Martes	Conversación con la jefa el miércoles.
Notas y comentarios del día: .... Mensajes:	

Miércoles	Conversación con la jefa el jueves.
Notas y comentarios del día: .... Mensajes:	

Jueves	Conversación con la jefa el viernes.
Notas y comentarios del día: .... Mensajes:	

Viernes	Conversación en persona con la jefa el lunes.
Notas y comentarios del día: .... Mensajes:	

Se dice así

1 Cuando transmitimos las palabras de otros, podemos usar otros verbos, además de DECIR. Aquí tenéis algunos. Escuchad las conversaciones y completad lo que falta con uno de estos verbos, de acuerdo con el sentido de la frase.

ASEGURAR:
afirmar algo.

CONTAR:
transmitir un suceso.

COMENTAR:
valorar lo que se dice.

EXPLICAR:
aclarar algo.

PEDIR:
hacer una petición.

PREGUNTAR:
hacer preguntas.

PROPONER:
hacer una propuesta.

1. Unos días después.
△ ¡Hola, Piedad! ¿Cómo estás?
○ Bien, como siempre.
△ ¿A que no sabes a quién **vi** el otro día?…
    ¡¡A Miguel!! Y me .... que ....

2. Al día siguiente.
△ Ayer tuvimos entre nosotros al Ministro de Fomento, que tranquilizó
   a los malagueños y .... que ....

3. Otro día.
△ Ayer vino el jefe a hablar conmigo y me .... cómo
   .... y yo le .... que ....
○ No sé si lo habrás tranquilizado con eso.

4. El viernes.
△ ¿Sandra no ha venido? ¿Es que nadie la ha invitado?
○ Sí, claro, la llamé yo, pero me .... que justamente hoy ....
   .... y por eso no ....

5. Otro día en casa de Sam.
△ Las vecinas me .... que me .... unos días,
   pero ya llevan fuera casi un mes. Me parece que **tienen mucha cara.**

6. A los tres días.
△ ¿Qué hacen aquí estas motos?
○ Es que los del apartamento 303 me .... si ....
   y yo les dije que sí, que ....

7. Al día siguiente.
△ ¿Por qué **estás** tan **cabreada**?
○ Porque el otro día la directora me .... que ....
   .... y yo ya no **doy abasto**.

2 Estas expresiones coloquiales aparecen en los diálogos anteriores. Relaciona una columna con otra y sabrás su significado.

· no dar abasto	· ser menos importante de lo que cree otra persona.
· tener mucha cara	· no tener tiempo para hacer todo lo que hay que hacer.
· no ser para tanto	· estar enfadado(a)
· estar cabreado(a)	· ser muy atrevido(a), ser un sinvergüenza.

¿Podéis construir otras frases?

Un paso más

1 **Lo contaron los periódicos.** *Aquí tienes un artículo en el diario El País del 8 de abril de 1997.*

Camilo José Cela y Gabriel García Márquez atacan a aquellos que quieren constreñir el idioma.

Dos premios Nobel de Literatura defendieron, en el Congreso de Zacatecas, México, el hecho de que la lengua española siga su camino. Ellos son partidarios de que los hablantes vayan dando forma al idioma.

El Primer Congreso Internacional de la Lengua Española se abrió con unas provocadoras palabras de García Márquez, el cual sugirió: "Jubilemos la ortografía, terror del ser humano desde la cuna". Su discurso estuvo lleno de propuestas que alarmaron a demasiada gente. El Rey Juan Carlos puso una nota de equilibrio en una discusión centrada en si se debe eliminar la **h** o si hay que suprimir la **b** y la **v** o la **g** y la **j**. Don Juan Carlos habló de la comunidad hispanohablante, la cual debe enfrentarse a dos retos de futuro: la terminología y los sistemas educativos.

Como anécdota de este Congreso, debemos mencionar a los niños que esperaban a los asistentes a la puerta del Palacio de San Agustín y que les preguntaban alarmados: "¿Es cierto que nos quieren quitar las palabras?".

Texto adaptado, El País. 1997.

Después de leer atentamente el texto, señala:

– Los verbos que introducen las palabras de otros.
– Las ideas centrales del texto.

Explica:

– Si tu opinión está más cerca de un idioma con reglas de protección, o de un idioma en absoluta libertad;
– Si hay mucha diferencia en tu propia lengua entre el habla coloquial y la lengua culta.

Ahora ya sabes

FUNCIONES

Transmitir las palabras de otros y lo escrito por otros con cambio de tiempo y lugar. ☐

Mostrar inseguridad en la transmisión de un mensaje. ☐

GRAMÁTICA

Estilo indirecto con el verbo introductor en pasado. ☐

Transformaciones temporales. ☐

VOCABULARIO

Sinónimos de *decir*. ☐

1 Escucha y completa la ficha con los datos necesarios.

LA RISA ES BUENA	MALA	¿POR QUÉ?
La risa .... la respiración,	.... el corazón y los lazos afectivos,	.... la circulación.

2 Completa con *antes de / antes de que; después de / después de que; cuando; hasta / hasta que; para / para que*. Después, contesta a Renate como si fueras Carmen.

> Viena, 19 de abril de 1998.
>
> Querida Carmen:
>
> .... un año larguísimo con mucho trabajo, te escribo ....
> .... darte noticias mías y .... no te olvides de
> que tienes una amiga aquí, que escribe poco, es verdad, pero se acuerda de ti.
> El tiempo vuela y .... me pase otra vez, me pongo a contarte
> un poco de mis planes.
>
> ¿Sabes? No sé si voy al Congreso de septiembre, ... ahora no
> lo he decidido. Estoy tan cansada que no tengo ganas de nada. ¿Y tú? ¿Qué
> vas a hacer? A lo mejor, ... pasen unos días y descanse un
> poco, me animo, pero ahora…
> Bueno, ... lo tenga más claro, te escribiré o te llamaré.
>
> Este año no salgo de vacaciones, me quedo en casa. ¿Te vas tú, como siempre,
> a Santander? Escríbeme .... irte, que luego ya se sabe, en
> vacaciones, no hay tiempo para nada. ¿Vale?
>
> Y nada más por hoy.
>
> Un beso muy fuerte de
>
> *Renate.*

3 Haz frases usando *para* + infinitivo o *para que* + subjuntivo con los elementos dados.
> *Para que no te roben el coche, tienes que instalar un buen sistema de alarma.*

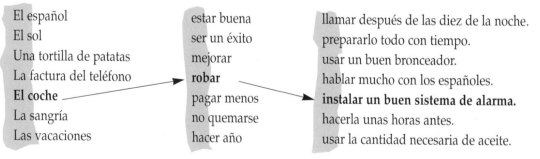

El español — estar buena — llamar después de las diez de la noche.
El sol — ser un éxito — prepararlo todo con tiempo.
Una tortilla de patatas — mejorar — usar un buen bronceador.
La factura del teléfono — **robar** — hablar mucho con los españoles.
El coche — pagar menos — **instalar un buen sistema de alarma.**
La sangría — no quemarse — hacerla unas horas antes.
Las vacaciones — hacer año — usar la cantidad necesaria de aceite.

revisión

4 Contesta a estas preguntas:

1. ¿Para qué quieres otro televisor?

....

2. ¿Cuándo se acabará el hambre en el mundo?

....

3. ¿Cuándo vas a ponerte a buscar trabajo en serio?

....

4. ¿De verdad te sirve la agenda para algo?

....

5. ¿Qué haces cuando tienes mucho tiempo libre?

....

6. ¿Para cuándo esperas terminar la tesis?

....

7. ¿Te gustaría tener una varita mágica? ¿Para qué?

....

8. ¿Para qué son esas pastillas que tomas?

....

9. ¿Cuándo has quedado con ellos y para qué?

....

10. No comprendo para qué haces tantas fotos.

....

5 Completa con:

| A |
| EN |
| DESDE |
| HASTA |

1. △ ¿Sabes? Estoy trabajando en un restaurante de la playa .... junio y tengo contrato .... finales de septiembre.

   ○ Me alegro mucho por ti, porque yo, ... ahora, no he encontrado nada.

2. △ ¿Has visto a Miguel?.

   ○ No, no lo he visto, ¿qué le pasa?

   △ Que está en la calle: llegó a la oficina .... las 9h. y .... las 10h. lo habían despedido. El pobre está hecho polvo.

3. △ Vivo en un pueblo muy tranquilo, pero .... verano se convierte en un infierno de ruido, gente, ¡un asco! Por eso, yo me largo .... los primeros días de julio y no vuelvo .... octubre.

4. △ Tengo que tomar algo, porque no he comido .... mediodía y ahora estoy muerto de hambre.

   ○ ¡Hombre! Espérate .... la hora de la cena.

5. △ Siempre le proponen los trabajos interesantes a ese inepto, yo podría hacerlo .... menos tiempo.

   ○ Habla con tu jefa y díselo. Ahora está reunida, pero saldrá .... eso de las 11h.

6 Imaginemos situaciones imposibles.

1. Miguel Indurain no ganó la Vuelta a España en 1996 porque se retiró antes de terminarla.
   Si no ....

2. Los dinosaurios desaparecieron hace millones de años porque no se adaptaron a los cambios.
   Si ....

3. Imagina por un momento que eres un mago y puedes realizar tres deseos, elígelos.
   Si ....

4. Hoy día todavía no existe igualdad para todos, por eso pasan cosas injustas.
   Si ....

5. Supón que tenemos que emigrar a otro planeta y tienes que llevarte algo, elige tres cosas.
   Si ....

revisión

7 Situaciones con varias posibilidades. Primero elige la respuesta correcta y luego compara con la que ha elegido tu compañero(a).

1. Ves a dos chicas brindando y te imaginas que lo hacen **por** / **para** el éxito de los exámenes o **para que** / **porque** han ganado un premio a la lotería.

2. Harías una foto desde la ventanilla de un avión **para** / **por** la curiosidad de un paisaje diferente o **porque** / **para que** tus amigos vean dónde has estado.

3. Imagina una foto de una tumbona en la playa: cuando la ves piensas que alguien la ha hecho **por** / **para** lo bonita que es la tela, **para** / **por** error mientras manipulaba la máquina o **para** / **por** recordar algo especial.

4. Ves a un niño llorando en la playa e imaginas que es **porque** / **para que** se ha perdido o **porque** / **para que** le compren un helado.

5. Alguien tiene un mapa abierto sobre su mesa y tú imaginas que lo necesita **para** / **por** preparar un viaje o **para** / **por** motivos de trabajo.

8 Corrige a tu compañero(a).

1. △ Parece que tú estudias sólo porque quieres sacar buena nota.
   ○ ¡No, hombre! .... sino porque ....

2. △ Ayer no fuiste a la fiesta de bienvenida, ¿es que no te gustan las fiestas?
   ○ No ...., es que ....

3. △ Si no llamas a tu familia, van a creer que los has olvidado.
   ○ No es ...., sino que ....

9 Completa con indicativo o subjuntivo.

1. △ ¿Cómo está Francisco?
   ○ Bien, aunque todavía no (tener) .... muy claro lo que quiere estudiar al terminar COU.

2. △ Estoy harto del mes de agosto, hay demasiada gente por todas partes.
   ○ (Haber) .... mucha gente, pero todo el mundo tiene derecho a vacaciones, ¿no?

3. △ Aunque hoy día el sueldo de un trabajador español medio (ser) .... más o menos de 150.000 pts., todavía hay diferencias entre hombres y mujeres o entre el norte y el sur.

4. △ Tengo que contarte algo, pero no tengo prisa, no es urgente.
   ○ (Ser) .... lo que (ser) ...., me interesa , así que (ir, nosotros) .... a tomar un café y charlar un rato.

5. △ Aunque no (saber, nosotros) .... cómo será el futuro, los expertos ya nos anuncian algunas cosas que podemos esperar de él.

revisión

10 Escucha el mensaje que un oyente de ONDA CERO ha dejado en el contestador de la emisora para TEMAS DE ACTUALIDAD. Luego contesta a las preguntas.

· ¿Quién habla? _____

· ¿Cuál es el tema de su mensaje? _____

· ¿Para qué llama? _____

· ¿Estás de acuerdo con su opinión? _____

· ¿Por qué? _____

11 Lee estas noticias que hemos adaptado un poco, aparecidas en la revista QUO de agosto de 1997. Pero, antes, completa con las palabras que te damos para que tengan sentido. Algunas aparecen dos veces.

por eso
después de
ante
pero
para
sin embargo
sin

Más listos que el hambre.

.... un trozo de queso ningún ratón se resiste, ... este alimento es usado .... las tradicionales trampas conocidas como ratoneras. ...., cuando tenemos hambre no existen dificultades. Prueba de ello son los estudios hechos en Alemania y relacionados con el comportamiento de los ratones .... una ratonera. Resumiendo mucho, diremos que .... algún tiempo, los roedores habían aprendido a coger el queso .... caer en la trampa. Esta habilidad demuestra, una vez más, la increíble capacidad de aprendizaje de estos animalitos, la cual les ha permitido adaptarse a cualquier medio, ... siempre en relación con el ser humano. .... tranquilidad de los defensores de los derechos de los animales, aclaramos que las trampas usadas no eran mortales.

por lo tanto
con
sobre
cuando
aunque
entonces
pero
bajo

1. – El estadounidense John Anderson, que estuvo .... el agua cuatro minutos y veinte segundos batió el récord que logró el mago Houdini .... cuatro minutos y dieciséis segundos.

2. – Reírse, dicen los expertos, es algo muy sano, ... ría todos los días y su salud se lo agradecerá.

3. – Y, siguiendo con el tema de la risa, se ha observado que, ... tiene efectos tan beneficiosos, la gente ríe menos cuanto más avanzada es la cultura. ¿Qué le parece?

4. – ¿Tiene usted un jefe incompetente? .... también tiene problemas, ... puede aprender a resolverlos.

5. – .... los malos jefes hay mucho que decir; .... lo mejor es hablar .... él o pedir un traslado .... los enfrentamientos son insoportables.

TEXTOS GRABADOS

(QUE NO APARECEN O APARECEN INCOMPLETOS, EN LAS UNIDADES RESPECTIVAS)

UNIDAD 1

Vamos a practicar

1. Escucha esta conversación telefónica entre dos panameños:

– **¡Aló!** con Teresa, por favor.

– Un momento. ¿De parte de quién?

– Dígale que es Marco.

(…)

– ¡Hola Marco! ¿Cómo estás? ¿Qué me cuentas de ese viaje por el viejo continente?

– Fue fabuloso. Sabes que es una experiencia inolvidable, jamás vivida por nadie. ¡Oye! ¿**Y qué hay de ti**? ¿Y cómo anda tu familia?

– Bueno, la familia, bastante bien, gracias. Y mis otros asuntos en proceso de realización unos, y otros, en camino.

– Yo **estoy bastante agresiva** en el campo profesional. Trabajo **en** las tardes y las noches. Es la única forma de lograr una vida mejor, tú sabes.

– ¿Me lo dices, o me lo preguntas? Bien sabes cómo ando yo, de aquí para allá, sin descanso, pero es necesario.

– ¡Oye! ¡Qué tal si nos vemos a las doce **del día** en el Capo´s Bar?

– Está bien. Allí nos veremos.

– **O.K.**

2. Completa con la información que escuches.

1. (Ring, ring…)

– El teléfono móvil marcado no se encuentra operativo en estos momentos. Si quiere puede dejar un mensaje en el buzón de voz. Piiiiiiii…

– ¡Hola Fernando! Soy Isabel. He comprado entradas para ir al teatro el sábado. La obra es a las siete. Si llamas y comunica mi teléfono, es que estoy conectada a Internet. ¡Hasta luego!

2. (Ring, ring…)

– Este es el contestador automático del 6 50 14 55. Ahora no podemos atenderte. Si quieres dejar un mensaje, hazlo cuando suene la señal. Piiiiiiii…

– ¡Hola soy Nehla, una alumna tuya del curso de doctorado. Llamo para recordarte que el próximo lunes no habrá clase porque tenemos un seminario de informática. Hasta dentro de una semana. Adiós.

Se dice así

2. Vas a escuchar información sobre la prensa en el mundo hispánico. Después, relaciona los nombres de los periódicos de mayor difusión en el mundo hispano con los de los países correspondientes:

En todos los países del mundo hispánico hay varios periódicos de difusión nacional; normalmente cada uno de ellos corresponde a una tendencia política, al menos, en los países democráticos, donde no hay censura y los informadores pueden, incluso, expresar su opinión sobre la actualidad.

En España hay varios periódicos importantes: El País, El Mundo, Diario 16 y ABC. Este último es el más conservador. De todos ellos, el más vendido es El País; sin embargo los lunes, la gente prefiere comprar la prensa deportiva para enterarse de los últimos resultados de las competiciones deportivas, sobre todo los hombres.

En Argentina hay dos periódicos importantes: Clarín y La Nación. Ambos se editan en la capital, Buenos Aires.

En México es muy popular el diario EXCELSIOR y en Venezuela, EL UNIVERSAL, de Caracas.

UNIDAD 2

Vamos a practicar

1. Escucha los comentarios de esta mexicana después de tres semanas de estancia en Madrid.

Es que esta ciudad es tan **linda**, porque… ¿Sabes? Yo he viajado mucho por todo el mundo, pero **nunca más antes** había estado en España. Y la gente … La gente es muy **bonita**. Es verdad que hay muchos **carros** por todas partes, y que los españoles **manejan** como locos, pero yo siempre **tomaba el metro** y llegaba a todas partes sin problemas…

Se dice así

2. El año pasado Jesús hizo un viaje por España y se alojó en algunos Paradores Nacionales. Señala en el mapa cuáles visitó.

– El año pasado estuviste en España, ¿verdad?

– Sí, alquilé un coche y recorrí el norte del país…

– ¿Galicia?

– Sí, Galicia, Cantabria y el País Vasco.

– ¿Y qué tal?

– Muy bien, me gustó mucho. Primero fui a San Sebastián, estuve tres días en el País Vasco y me alojé en el parador de Fuenterrabía, un pueblo pequeño y muy bonito; después, fui a Santander, donde hay una famosa universidad para extranjeros, la Universidad Internacional Menéndez Pelayo y visité todos los pueblos de la zona. Finalmente me quedé algunos días en el Parador de Santillana del Mar.

– ¿Estuviste en Oviedo?

– No, sólo de paso. Bueno, y luego fui a Santiago de Compostela. Como no había habitaciones libres en el Parador, me quedé en un hotel y después fui a la provincia de Pontevedra; allí me alojé en el Parador de Tuy, en la frontera con Portugal.

UNIDAD 3

Vamos a practicar

1. Señala lo que corresponda de acuerdo con las conversaciones que vas a escuchar.

1. – Tengo que reservar unos billetes de tren. ¿Tienes a mano

el teléfono de la Central de Reservas de RENFE?
 – No sé… Mira a ver si está en mi agenda.
 – ¿Y dónde está tu agenda?
 – En el cajón de la mesa de mi despacho.
 – Sí, aquí está… 3 28 90 20. Voy a llamar ahora mismo.

2. – Voy a comprar entradas para el partido de fútbol del sábado. Vienes, ¿no?
 – No, no saques entrada para mí, no creo que pueda ir, tengo muchísimo trabajo, pero gracias, ¿eh?

3. – ¿Te pongo café?
 – No, déjalo, tengo que irme ya. Han convocado la reunión para las tres y ya son menos cinco. ¡Hasta luego!

4. – ¡Oye! Te cojo los libros…
 – No, no te los lleves, que los necesito.

2. Pon los imperativos que escuches en su correspondiente forma negativa y haz las transformaciones que sean necesarias.

 1. Ponme azúcar.
 2. Oye, dile a Juan lo que te he dicho.
 3. Llévate el periódico si quieres, que ya lo he leído.
 4. Recuerda llamar a Cristina. Hoy es su cumpleaños.
 5. Siéntate ahí.
 6. Pon aquí tus cosas.
 7. Riega las plantas todos los días. ¡No te olvides!
 8. Aparca ahí.
 9. Pide un taxi, por favor.
 10. Abre la ventana un poco, por favor.

UNIDAD 4

Vamos a practicar

1. Di la forma correspondiente del presente de subjuntivo de los verbos que escuches.

1. PODER	**6.** TENER	**11.** DORMIR
2. SALIR	**7.** PONER	**12.** ENCONTRAR
3. VENIR	**8.** LEER	**13.** TOCAR
4. IR	**9.** DAR	**14.** DEJAR
5. TENER	**10.** VOLVER	**15.** PENSAR

2. Reacciona ante las situaciones siguientes manifestando tu indiferencia. Recuerda las estructuras y expresiones que has aprendido.

 1. ¡Oye! Voy a ir al vídeo-club. ¿Qué tipo de película te apetece ver?
 2. ¿Qué saco del congelador? ¿Carne o pescado? ¿Qué prefieres?
 3. Recuerda que el próximo fin de semana vamos a Sevilla. ¿Prefieres que vayamos en avión o en el AVE?
 4. La verdad es que no sé qué ponerme para la boda, como el tiempo está tan inestable… ¿Tú qué dices?
 5. No sé qué regalarle a Borja para su cumpleaños. Había pensado comprarle un disco compacto… ¿Sería mejor un libro?

Un paso más

1. Escucha esta canción y completa la letra con las palabras que faltan.

Ojalá que llueva café en el campo
que caiga un aguacero de yuca y té
del cielo, una jarina de queso blanco
y al sur, una montaña de berro y miel.
Oh, oh, oh, oh,
ojalá que llueva café.

Ojalá que llueva café en el campo,
peinar un alto cerro de trigo y maguey,
bajar por la colina de arroz graneado
y continuar el arado con tu querer.
Oh, oh, oh, oh.

Ojalá el otoño, en vez de hojas secas,
vista mi cosecha de pitisalé,
siembre una llanura de batata y fresas
ojalá que llueva café.

Ojalá que llueva café en el campo.
Ojalá que llueva café en el campo.

UNIDAD 6

Vamos a practicar

1. ¿Eres una persona vital? Vas a escuchar un cuestionario. Contesta a cada pregunta, de forma personal, con Sí / NO.

 1. ¿Prefieres salir y estar con otros, o quedarte en casa escuchando música?
 2. ¿Te gusta conversar con todo tipo de personas y en cualquier circunstancia?
 3. ¿Te interesa más el presente y el futuro que el pasado?
 4. ¿Eres una persona entusiasta y positiva?
 5. ¿Te cansas fácilmente?
 6. En una fiesta, ¿eres el primero en marcharte?
 7. ¿Eres el tipo de persona que organiza viajes, fiestas y cenas con los amigos?
 8. Si te presentan a alguien, ¿te resulta fácil mantener una conversación?

Se dice así

1. Escucha las siguientes conversaciones en la clínica del doctor Escudero y completa.

 1. – Verá, doctor, ayer tuve un fuerte dolor de estómago…
 – ¿Había comido algo?
 – Pues, había cenado lo normal, una ensalada y un filete.
 – ¿Le pasa con frecuencia?
 – Sí, sobre todo por la noche…
 – Bien, creo que podría ser **una úlcera de estómago**. De todas formas, voy a hacerle unas pruebas…

 2. – ¿Qué tal, doña Soledad?
 – Ya ves, hijo, cada día más mayor…
 – ¿Y cómo se encuentra?
 – Me duelen mucho las piernas y los brazos… Casi no puedo andar…

– Ya sabe, doña Soledad, que es **reúma** y en otoño los síntomas son más fuertes. Voy a recetarle unas inyecciones y…

3. – ¡Buenos días, doctor!

– ¡Hola! Es la primera vez que viene, ¿verdad?

– Sí

– ¡Dígame!

– Verá, tengo frecuentes dolores de cabeza, casi durante todo el día. Tomo calmantes, pero no me hacen nada.

– ¿Tiene mucho trabajo, preocupaciones?

– La verdad es que llevo dos meses trabajando sin parar… Estoy desarrollando un nuevo proyecto… La empresa no va bien… En fin.

– Su problema es **estrés**, le afecta a mucha gente. Creo que unos tranquilizantes podrían ayudarle.

UNIDAD 7

Vamos a practicar

1. Escucha y anota las razones por las que Ana va a pedirle el divorcio a Luis.

– ¡Es que no lo aguanto! Estoy harta, más que harta, hartísima.

– Pero, mujer, ¿qué te pasa?

– ¿Qué qué me pasa? Lo de siempre. Que no aguanto a Luis.

– Pero si decías que era un hombre estupendo…

– Sí, claro, hace tanto tiempo que ya ni me acuerdo.

– ¡Anda, cuéntame!

– Mira, no soporto que me diga siempre lo que tengo que hacer: Ana, Ana… Estoy harta de oír mi nombre y sus órdenes.

– ¿No eres un poco exagerada?

– ¡Qué va! Además me molesta que sea tan desordenado, que no me llame cuando llega tarde, que invite a sus padres todos los domingos a comer, que…

– ¡Ana!

– En serio, no lo aguanto. Pero…, ¿sabes qué es lo que más me molesta?

– ¿Qué?

– Que, siempre que discutimos, me diga que soy una histérica y que necesito ir al psiquiatra.

2. Vas a escuchar un diálogo en el Aeropuerto Internacional de La Aurora, en la ciudad de Guatemala. Completa el diálogo con las palabras que escuches.

– ¿Qué tal, vos?

– Bien, y vos, ¿qué hacés por acá?

– Vengo a traer a mi hermano, que viene de Estados Unidos y pasará con nosotros este feriado.

– No sabía que tenías un hermano que viviera fuera.

– Sí, se fue hace diez meses y hoy vuelve por primera vez.

UNIDAD 8

Vamos a practicar

1. Señala con una cruz qué le recomienda.

A.– ¿Vas a ir al cóctel de la Embajada?

   – La verdad es que no tengo muchas ganas de ir…

– ¡Venga, anímate! Te recomiendo que vayas, siempre hay gente muy interesante.

B.– Esta tarde a las ocho hay una reunión de vecinos.

   – ¿A qué hora dices?

   – A las ocho.

   – No creo que pueda ir, los niños tienen clase de tenis a las siete y media. No creo que me dé tiempo.

   – Pues es importante que vayas. Se va a hablar del sistema de seguridad del edificio.

   – Bueno, lo intentaré.

C.– ¡Qué lata! La boda de mi primo Antonio es el sábado.

   – ¿Vas a ir?

   – La verdad es que no me apetece…

   – Pues si no te apetece, no vayas.

D.– ¡Madre mía, la reunión empezó hace media hora ¿Qué hago? ¿Voy?

   – Sí, creo que es conveniente que vayas. Hay temas que te afectan directamente.

2. Estos tres estudiantes extranjeros viven en Madrid. Escucha y dinos por qué recomiendan esta ciudad para vivir y para estudiar.

1. Me llamo Sonia, tengo treinta y dos años y soy alemana. Para estudiar, pude elegir entre Pamplona y Madrid. Elegí la capital. ¿Por qué? Bueno, creo que en una ciudad grande la oferta cultural es más variada. Es verdad que la vida es más cara, pero yo tuve suerte, porque encontré un piso que comparto con tres chicas españolas. Como vivimos en un barrio donde todo el mundo se conoce, puedo disfrutar del ambiente familiar de un barrio pequeño en una ciudad grande.

2. Me llamo Xaris y soy de nacionalidad griega. Acabo de terminar un año de estancia en Madrid y he conseguido el diploma de Estudios Hispánicos. Elegí Madrid porque ya conocía otras zonas de España y tenía curiosidad por la vida en la capital. Me parece un lugar estupendo para vivir y estudiar porque, ¿sabes?, es la única ciudad de Europa que nunca duerme y a mí me encanta la vida nocturna… Es fácil conocer a mucha gente.

3. Me llamo Younsink y soy coreana. En septiembre comencé mis estudios de doctorado en Lingüística Española. Cuando no tengo clase, doy paseos por los parques y visito museos. Lo que más me gusta de Madrid es que tiene muchas zonas verdes. Estoy muy contenta en esta ciudad, pero echo de menos a mi familia y a mis amigos.

UNIDAD 9

Vamos a practicar

1. Indica de qué objeto están hablando en cada una de las conversaciones.

1. – ¿En qué puedo ayudarle?

   – Verá: necesito un… una… bueno, no sé cómo se llama.

   – ¿Para qué sirve?

   – Para limpiar, para limpiar el suelo de la casa.

   – ¿Una escoba?

   – Es como una escoba, pero limpia con agua y jabón.

– ¡Una fregona! Sí, lo que busca es una fregona.

2. – Quería una… una… cacerola.

– ¿De qué tamaño?

– Bastante grande.

– ¿Qué le parece esta?

– No, quiero una cacerola más baja.

– ¿Más baja?

– Sí, para hacer una paella.

– Entonces, lo que quiere no es una cacerola. Es una paellera.

Se dice así

1. Escucha las descripciones de estos personajes y señala a qué fotografía se refiere cada una.

1. Es conocida en todo el mundo por ser la mano derecha y, dicen que el cerebro, de un hombre de gran poder. Lo más característico de su aspecto físico es su peinado, que sus asesores de imagen cambian cada vez que hace una intervención pública. Es abogada de profesión y los temas que más la preocupan son la sanidad y la educación.

2. Quien mejor la conoce ha dicho de ella que es una gran profesional. No destaca por su belleza pero, sin duda, es una mujer elegante y discreta. Es una persona muy humana, amante de la familia y de los animales. Es culta, siente pasión por la música clásica y dicen que tiene un carácter muy pragmático y realista.

3. Es una mujer de cierta edad, pero su aspecto es extremadamente juvenil y vital, quizá debido a las exigencias de su profesión. Ha dedicado toda su vida al mundo del espectáculo.

3. Esta es la descripción que una colombiana da de Gabriel García Márquez. Toma nota de los adjetivos que utiliza.

Gabriel García Márquez es un escritor famoso en todo el mundo hispánico, profesor universitario, articulista, hombre político, amigo y defensor de Fidel Castro. Es un autor prolífico. Principalmente escribe cuentos y novelas y ha recibido un gran número de premios, entre ellos, el Premio Cervantes correspondiente a 1994, y el Premio Nobel. Actualmente es uno de los intelectuales de más peso en el mundo.

UNIDAD 11

Vamos a practicar

1. Escucha y escribe los proyectos de Susanita para su futuro. ¿Qué le parecen a Mafalda esos proyectos? Apunta también las palabras o expresiones que te parezcan argentinas.

– ¿Qué vas a ser cuando llegués a ser grande, Susanita?

– ¡Voy a ser madre! Primero voy a ser una señora, ¿no? Después voy a tener hijitos. Luego compraré una casa grande, grande, grande y un automóvil lindo y después joyas y luego tendré nietitos. Y esa será mi vida. ¿Te gusta?

– Sí, el único defecto es que no es una vida, es una carrera.

2. Escucha el siguiente texto y di si es verdadero o falso.

Nunca tenemos tiempo para nada. Siempre soñamos con lo que haremos cuando estemos de vacaciones. Luego llegan los días de descanso y tampoco tenemos tiempo. A veces, volvemos a casa después de un mes en la costa o en la montaña más cansados que antes. Tenemos que aprender a organizar mejor nuestro tiempo o acabaremos estresados como el 79% de la población española. Pero cuando la tensión no es tan grave como para ir al psiquiatra, podemos seguir terapias alternativas como masajes, hidroterapia o algunas dietas que pueden resultar muy efectivas.

UNIDAD 12

Vamos a practicar

1. Escucha esta entrevista radiofónica y contesta a las siguientes preguntas:

– Buenas tardes, señoras y señores. Tenemos hoy con nosotros a uno de los responsables del plan "Hoy no circula", al que queremos hacer algunas preguntas.

Buenas tardes, licenciado. En primer lugar, explique a nuestros oyentes en qué consiste ese plan, por favor.

– Buenas tardes a todos. El plan "Hoy no circula", prohíbe a los propietarios de carros utilizarlos un día por semana según un sistema de colores.

– ¿Y cómo nació la idea?

– De la necesidad. Como todos ustedes saben, la Ciudad de México es una de las capitales más pobladas del mundo. Allí el aire está tan contaminado que resulta peligroso salir a la calle.

– Pero eso sucede en muchas grandes capitales del mundo, ¿no es cierto?

– Sí, es cierto, pero el problema de la superpoblación y el gran número de carros, hay que añadir la calidad de la gasolina, que en México tiene mucho plomo. Ahora estamos luchando contra eso también en colaboración con la UNAM (Universidad Nacional Autónoma de México).

– ¿Ve usted el futuro con optimismo?

– ¡Y claro! Hay mucho que hacer, pero entre todos, vamos a lograr una linda ciudad. Ya lo verá.

2. Escucha y toma nota de las opiniones.

Vicente Verdú, escritor y periodista español, escribió hace tiempo un artículo en el que se preguntaba: ¿cómo sería el mundo si mandaran las mujeres?. Él mismo contestaba: mejor. Si las mujeres tuvieran más poder, habría menos guerras y más reuniones para resolver los problemas hablando. Según Vicente Verdú, la Historia la han escrito los hombres. Si la hubieran escrito las mujeres, ahora sabríamos también otras cosas que fueron importantes, pero que nadie ha contado. Claro que también existe el punto de vista de nuestra vieja amiga Mafalda: si las mujeres mandasen, los secretos de estado serían tema de cotilleos entre las presidentas. Y tú ¿qué opinas?

UNIDAD 13

Vamos a practicar

1. Escucha las opiniones de María Rodríguez, presidenta de una asociación de consumidores, sobre la publicidad que aparece en las películas y series. Después, toma notas y contesta con tus propias palabras.

– ¿Qué opina su organización de esta publicidad conocida como *product placement*?

– Nosotros pensamos que este tipo de publicidad deja al consumidor indefenso, sin armas ante las estrategias comerciales. Nos parece inadmisible que la publicidad y la información, o la publicidad y el entretenimiento no estén claramente separados.

– ¿Dónde suelen encontrar más a menudo esta publicidad?

– En todo tipo de medios de comunicación. El más conocido es el cine, pero la televisión, las revistas o la radio están llenos también.

– ¿Qué hacen ustedes contra ello?

– Lo mejor que podemos hacer es informar a la gente para que sepa cuándo le están informando sobre algo y cuándo se lo están vendiendo. Queremos que la gente aprenda a no dejarse engañar.

UNIDAD 14

Vamos a practicar

1. Escucha la entrevista que le hizo Soledad Almeda en agosto de 1997 a Álvaro Mutis, escritor colombiano, premio Príncipe de Asturias de las Letras en 1997, y resúmela poniéndola en estilo indirecto.

– Usted es un novelista de éxito. ¿Tienen sus libros buena acogida en España?

– Me leen más en Francia, en Italia, en Alemania. Parece que los españoles están más interesados en novelas consideradas *light*.

– ¿Por qué cree usted que ocurre esto?

– No lo sé, quizá es por una reacción contra tantas guerrillas y gente pobre. Los problemas de América están lejos, pero ya le digo que no lo sé.

– Al darle el Premio Príncipe de Asturias le denominaron escritor del realismo mágico. ¿Está usted de acuerdo?

– No, para mi el realismo mágico lo representan García Márquez y el romanticismo alemán, pero en mis libros no hay nada de esa línea.

– Cambiemos de tema. ¿Es cierto que nunca ha querido vivir de la literatura?

– Siempre he escrito al margen de la vida práctica que llevo, para ganarme la vida; y eso desde los dieciocho años, en que empecé e trabajar.

– Eso es muy extraño en un mundo de intelectuales.

– Pero ahí está el secreto de la cosa, en que no he llevado una vida de intelectual; nunca he participado en política. Jamás he votado, no me interesa. Sin embargo, me interesa la historia, casi más que la literatura.

– Es cierto, sus libros están llenos de referencias históricas.

– Es verdad, pero no vivo en círculos intelectuales, no va con mi caracter. Mi trabajo, mis viajes me han dado una visión del mundo más real, o eso me parece a mi.

– Dígame, ¿por qué vive en México?

– Tuve que irme de Colombia porque había ayudado a gente a escapar de la dictadura. De todas maneras, me hicieron un juicio y me llevaron preso. Gracias a esa experiencia de vida he escrito siete novelas.

Se dice así

1. Cuando transmitimos las palabras de otros podemos usar otros verbos además de decir. Escuchad las conversaciones y completad lo que falta con uno de estos verbos, de acuerdo con el sentido de la frase.

1. – ¿Qué te ha pasado?
   – Que Luisa y yo nos hemos peleado.
   – Bueno, pero **no será para tanto**.
   – Sí, sí, esta vez va en serio.

2. – Señor Ministro, los malagueños quieren saber si el AVE llegará por fin a nuestra ciudad.
   – Por supuesto, aunque durante trece años la administración anterior no hizo nada para conseguirlo, yo estoy en condiciones de tranquilizarles: ¡No se preocupen! Antes del año 2000 el tren de alta velocidad llegará a la capital de la Costa del Sol.

3. – Bueno, Paco, vamos a ver, ¿cómo van las reservas de golf para el otoño?
   – Me parece que van bien. Si seguimos así, tendremos una buena temporada.
   – ¡Ojalá no te equivoques!

4. – ¿Sandra? Hola, soy Francisco. Te llamo para invitarte a la fiesta que tenemos en casa la próxima semana, el viernes.
   – Me encantaría ir, pero no voy a poder.
   – ¿Por qué? Lo pasaremos de miedo, anda, anímate.
   – Si no es que no esté animada, es que ese día llegan mis padres y tengo que estar en casa.

5. – Sam, nos vamos a Salamanca unos días, ¿podrías ocuparte tú de la perra y del gato?
   – Sin ningún problema. Sabes que me encantan los animales.

6. – ¿Podemos dejar las motos aquí?
   – No estoy seguro, pero creo que no hay problema.

7. – Bárbara, deberías encargarte tú de atender a los estudiantes.
   – No me molestaría si tuviera tiempo, pero ya tengo demasiado trabajo.

UNIDAD 15

1. Escucha y completa la ficha con los datos necesarios.

Ríase cuando se sienta estresado. Este es un consejo que dan en muchos centros médicos, sobre todo de Estados Unidos, como terapia de muchos de nuestros males. ¿Sabía usted que, cuando nos reimos, activamos 400 músculos de nuestro cuerpo? Pero además, según afirman los últimos estudios científicos, la risa fortalece el corazón, mejora la respiración, activa la circulación sanguínea y fortalece los lazos afectivos. Aunque, algunas veces, reirse también puede resultar perjudicial, como es el caso de problemas de corazón, o cuando se tengan cicatrices por una operación reciente.

10. Escucha el mensaje que un oyente de ONDA CERO ha dejado en el contestador de la emisora, para TEMAS DE ACTUALIDAD. Luego contesta a las preguntas.

Me llamo alberto Gallardo y les propongo lo siguiente para el debate de alguno de sus programas. He observado los eslóganes publicitarios que aparecen en los distintos medios de comunicación y quiero protestar por la invasión del inglés que he notado en ellos. Les doy algunos ejemplos: *Be authentic, Just do it!, The city that never sleeps.* Aunque hoy día la mayoría de los consumidores es capaz de de traducirlos y entenderlos, no veo ningún interés en su uso y creo que en nuestro país, dominado ya por corrientes extranjeras, deberíamos hacer publicidad en español.

APÉNDICE GRAMATICAL

1. LOS SIGNOS DE PUNTUACIÓN

COMA

La coma corresponde a una pequeña pausa que exige el sentido de la frase. Puede coincidir con el final de entidades gramaticales bien definidas, por lo que es posible establecer algunas reglas que ayuden a su uso:

a. Se escribe coma:

· Detrás de la oración subordinada, cuando precede a la principal:

Cuando está de buen humor, es una persona encantadora.

· Detrás de la prótasis condicional:

Si no es por ella, habrías olvidado los documentos.

· Ante las subordinadas consecutivas:

Va a llover, de modo que ponte la gabardina.

· Cuando se omite el verbo, por ser el mismo de la oración anterior:

Él tiene tres hijas; yo, un hijo y una hija.

b. Se separan con coma:

· Los elementos de una serie de palabras o de grupos de palabras –incluso de oraciones de idéntica función gramatical– cuando no van unidos por conjunción:

Les ofrecieron manzanas, naranjas, uvas, peras, plátanos…

Vendrán: Luis con su mujer, Ricardo y las niñas, María y Juan.

Madruga, hace la compra, limpia el polvo, tiende la ropa y, además, escribe.

· Los vocativos:

Antonio, vuelve pronto. Y entiende, hijo, que lo digo por tu bien.

· Los incisos que interrumpen momentáneamente el curso de la oración:

Todos ustedes, que también son padres, me comprenderán muy bien.

· Los adverbios y locuciones:

Me han dicho, no obstante, que puedo reclamar.

Por supuesto, he ido varias veces.

No lo necesito para nada, en realidad.

PUNTO Y COMA

El punto y coma marca una pausa más intensa que la determinada por la coma, pero menos que la exigida por el punto. Separa oraciones completas de cierta extensión, íntimamente relacionadas:

He hecho el viaje en avión; mis hijos, en coche, alojándose en hoteles.

PUNTO

Es la mayor pausa que puede señalarse ortográficamente. Se emplea cuando, terminada una oración, se da comienzo a otra:

No he votado por él. No estoy de acuerdo con su nombramiento.

Se llama punto y aparte al que se pone al terminar un párrafo, si el texto continúa en otro renglón. Punto y seguido, cuando el texto sigue inmediatamente:

Por la mañana llegaron a Segovia. Visitaron el Alcázar y el Acueducto y a continuación se fueron a Ávila.

Allí se reunieron con Miguel para comer.

DOS PUNTOS

Se utilizan para anunciar una cita literal en estilo directo:

María me advirtió: «No pienso ir a esa fiesta».

También se usan antes de exponer una enumeración:

Hay dos clases de personas: las que creen que hay dos clases de personas, y las que creen que no.

PUNTOS SUSPENSIVOS

Se emplean:

· Para dejar una oración incompleta, con su significado en suspenso:

Como no te andes con cuidado…

· Para indicar que un texto que se reproduce no está completo. En este caso, los puntos suspensivos se ponen entre paréntesis o entre corchetes.

Cerrando los ojos, intentó dormir […] Pronto volvió a incorporarse.

· Para expresar duda o vacilación:

Espera… deja que te explique… no es lo que tú crees…

Después de etcétera o etc. nunca se ponen puntos suspensivos, por ser una redundancia.

PARÉNTESIS

Se utilizan:

· Para interrumpir, con una frase aclarativa, el curso de la oración:

El resto de la tropa (que no había oído el aviso) fue desembarcado.

· Para ofrecer una explicación o desarrollar una abreviatura:

Los P.N.N. (profesores no numerarios) apoyan la propuesta.

CORCHETES

Sustituyen al paréntesis en una oración que encierra, a su vez, otras palabras o frases entre paréntesis:

Camilo José Cela [nacido cerca de Padrón (La Coruña)] suele escribir…

COMILLAS

Se emplean:

· Para reproducir textualmente lo dicho o escrito por alguien:

El entrenador ha declarado: «Les ganaremos fácilmente».

Según Benavente, «es más fácil ser genial que tener sentido común».

· Para destacar neologismos o palabras usadas con un significado no habitual:

Te vi ayer, en el parque, haciendo «footing».

Me han hecho un buen «bollo» en el coche.

· Para resaltar incorrecciones del lenguaje:

    Nos dijeron que habían tomado un «taxis» para ir al «fúrbol».

· Para los sobrenombres o apodos:

    Domenico Theotocópulos, «El Greco», vivió en Toledo.

    Ha sido detenido por la policía Txomin Birratúa, «Chobir».

· Para los títulos de obras literarias o artísticas en general:

    Me entusiasma «El Mesías» de Haendel.

    ¿Has leído el «Cantar de Mío Cid»?

DIÉRESIS

Se utiliza para indicar que la **u** debe pronunciarse en las combinaciones *gue* y *gui*:

    Prefiero las cigüeñas a los pingüinos. Y no me avergüenzo de ello.

GUIÓN

El guión corto sirve para unir las dos partes de un término compuesto:

    Es una coproducción franco-española.

    Odio viajar en coche-cama.

El guión largo se usa en los diálogos para indicar los párrafos de cada interlocutor:

    – ¿Por qué estás tan gordo?

    – Porque nunca discuto.

    – ¡No será por eso!

    – Bueno, pues no será.

También se emplea el guión largo para marcar los incisos dentro de una oración, con la misma función que hemos visto en el paréntesis.

    Van a poner en libertad –será inevitable– a todos los acusados.

BARRA

Se usa:

· Para determinar símbolos técnicos: *Km/hora.*

· Para expresar quebrados o fracciones: *3/5.*

· Para indicar que una palabra puede tener diversas terminaciones: *el alumno/a.*

INTERROGACIÓN Y EXCLAMACIÓN

En español estos signos abren y cierran la oración. Su empleo es necesario al principio y al final.

· Los signos de interrogación se usan en oraciones interrogativas: *¿Qué quieres?*, y los de exclamación en expresiones exclamativas: *¡Qué dolor!*

· Tanto los signos de interrogación como los de exclamación se han de colocar en donde empiece y acabe el período interrogativo o exclamativo, respectivamente:

    Y tú, ¿qué le has dicho?

    Tras ese preámbulo, ¡zas!, le soltó la noticia.

· Cuando las exclamaciones o interrogaciones son varias y seguidas, se escriben con minúsculas y seguidas de coma:

    ¡Esto es inaudito!, ¡increíble!, ¡vergonzoso!

    ¿Cómo lo has sabido?, ¿quién te lo ha dicho?, ¿dónde?

· Cuando dos preguntas se suceden en el discurso, lo normal es que los signos de interrogación se coloquen en la última:

    Qué ha dicho, ¿que no va a venir?

· A veces estos signos se colocan entre paréntesis (!) (?) para indicar ironía, incredulidad, duda, sorpresa, etc.; en estos casos se usan los signos de cierre:

    Dice que se ha enterado por la prensa (!).

    Fueron necesarios (?) tres años para acabar la obra.

2. MAYÚSCULAS Y MINÚSCULAS

Se escriben con mayúscula:

· Cualquier palabra que comience un escrito y las que vayan después de punto:

Hoy es jueves. Por la ventana entra un sol radiante.

· Todo nombre propio o voz que haga las veces de tal, como los atributos divinos:

Raúl, López, El Todopoderoso, La Inmaculada…
Lisboa, Guipúzcoa, Rocinante…

· Los nombres y adjetivos que entren en la denominación de una institución, cuerpo o establecimiento:

El Ayuntamiento de San Sebastián, la Real Academia Española…

· Las denominaciones de exposiciones, congresos y los nombres de disciplinas académicas, cuando formen parte de la denominación de una cátedra, facultad, instituto, etcétera:

Salón Internacional de Hostelería, profesor de Halterofilia Comparada,
III Congreso de Domadores de Reptiles, Facultad de Numismática…

· Potestativamente, los versos. Lo normal, en la actualidad, es escribir con mayúsculas el primero y los que van después de punto.

Te vas quedando atrás, España, entera,
como la propia vida.
Tus costas son los bordes de tu pena
[…]

Se escriben con minúscula:

· Los nombres de los meses del año, las estaciones del año, los días de la semana:

abril, septiembre, otoño, jueves, sábado…

· Los tratamientos, cuando se escriben con todas las letras:

su alteza el príncipe Raimundo, su eminencia el obispo Gómez…

· Los nombres de ciencias, técnicas, etc., en tanto no entren a formar parte de una determinada denominación que exija mayúscula:

La química, estudio de estadística financiera…

· Los gentilicios, nombres de miembros de religiones, y los nombres de oraciones:

vasco, escocés, evangelista, mormones, el credo, el avemaría…

· Los nombres geográficos comunes y los adjetivos usados en ellos:

el golfo de Cádiz, las lagunas de Ruidera, el cabo de Gata, Andalucía occidental,
Pirineos orientales, Rioja alavesa…

3 SEPARACIÓN DE PALABRAS

CASOS ESPECIALES

A donde / adonde:

Se escribe junto cuando hay un antecedente expreso. En caso contrario, se escribe separado:

He comido en el restaurante adonde tú vas siempre.
Antonio va siempre a donde le mandan.

Así mismo / asimismo:

Es más frecuente su uso con el significado de igualmente. Entonces se escribe junto:

A la documentación se adjuntará asimismo un currículum actualizado.

Si se escribe separado, cumple la función de adverbio + adjetivo:

No hace falta que lo caliente. Me lo como así mismo.

Con que / conque:

En el primer caso se trata de la preposición *con* + el pronombre relativo *que:*

No hay en el mundo dinero con que pagarle.

En el segundo, es una conjunción cuyo significado equivale al de *de modo que:*
> *Conque te habías escondido ahí, ¿eh?*

Si no / sino:

Se escribe separado cuando la conjunción condicional *si* antecede al adverbio *no:*
> *Avísanos si no vas a estar en casa.*

Se escribe junto en el caso de la conjunción adversativa o del sustantivo *sino* (destino).
> *No corta el mar, sino vuela…*
> *Don Álvaro o la fuerza del sino.*

SEPARACIÓN A FINAL DE LÍNEA

Como norma general, las palabras que no quepan en una línea, deberán dividirse para continuar en la siguiente, respetando tanto la sílaba como la formación etimológica:
> *cua - tro*   *vos - otros*   *des - bor - da - mien - to*

Cuando la primera o la última sílaba de una palabra sea una vocal, no podrá quedar como último elemento de la línea, ni como primer elemento de la línea siguiente. Sería, por tanto, incorrecto:
> ** rubi - a*   ** a - lejarse*   ** recre - o*   ** o - bligación*

Las letras que integran un diptongo o un triptongo nunca pueden separarse:
> *bus - cáis*   ** buscá - is*   *guar - da*   **gu - arda*
> *die - ciséis*   ** diecisé - is*   *cie - los*   ** ci - elos*

Cuando en una palabra dos consonantes seguidas formen parte de la misma sílaba, permanecen inseparables:
> *cons - cien - te*   ** con - sciente*
> *re - frac - ta - rio*   ** ref - ractario*

Las consonantes situadas entre dos vocales forman sílaba con la segunda:
> *e - té - re - o*   *pro - hi - bi - do*

Las agrupaciones consonánticas **cl**, **cr**, **dr**, **tr**, **fl**, **fr**, **gl**, **gr**, **pl**, **pr**, **bl** y **br** forman siempre sílaba con la vocal siguiente.
> *de - cli - nar*   *re - flu - jo*   *aco - pla - do*
> *re - cru - de - ci - do*   *re - frán*   *de - pri - sa*
> *co - co - dri - lo*   *re - gla - do*   *ca - ble*
> *pa - tra - ña*   *ti - gre - sa*   *co - bri - zo*

4. EL ACENTO

EL ACENTO ORTOGRÁFICO

Recae siempre sobre una vocal, de acuerdo con las reglas siguientes:

Palabras agudas (_ _ _´)

El acento recae sobre la última sílaba. Se acentúan ortográficamente las acabadas en **vocal**, **n** o **s**. Las restantes no llevan acento ortográfico:
> *está*   *canapé*   *corregí*   *capó*   *caribú*
> *volverá*   *estéis*   *edecán*   *calcetín*   *moción*
> *tener*   *edad*   *cartel*   *reloj*   *arcabuz*

Palabras llanas o graves (_ _´ _)

El acento recae sobre la penúltima sílaba. Se acentúan ortográficamente las palabras acabadas en consonante que no sea **n** ni **s**. Las acabadas en vocal no se acentúan ortográficamente:
> *récord*   *túnel*   *imbécil*   *álbum*   *vademécum*   *rádar*   *Cádiz*
> *escoba*   *examen*   *cobre*   *cactus*   *Capri*   *desvelo*   *canon*

Palabras esdrújulas (´_ _)

El acento recae sobre la antepenúltima sílaba. Se acentúan ortográficamente en todos los casos:

 electrónica *límite* *lápices* *tópico*

HIATOS Y DIPTONGOS

Cumplen las siguientes reglas:

ia, ie, io, iu, ua, ue, ui, uo, equivalen a una sola sílaba, salvo si llevan acento escrito en la **i** o en la **u**.

| *patria* | *especie* | *rubio* | *paraguas* | *vuelo* |
| *subía* | *desvíe* | *baldío* | *cacatúa* | *actúe* |

ae, ao, ea, eo, oa, oe equivalen a dos sílabas:

| *maestro* | *Bilbao* | *capea* | *recreo* | *boa* | *poema* |
| *Jaén* | *faraón* | *airéalo* | *alvéolo* | *aminoácido* | *poético* |

Los diptongos siguen las reglas generales de acentuación, por lo que, cuando el acento recae en una sílaba que lleva diptongo, la tilde ha de colocarse sobre la vocal más abierta:

 comprendéis *Éufrates* *cáustico* *huésped*

Si el diptongo es **ui** o **iu**, la tilde debe colocarse sobre la segunda vocal. Este caso sólo se da en palabras esdrújulas o agudas:

 casuística *cuídame* *huí*

Si, según las reglas generales, el acento recae en una sílaba que lleve triptongo, la tilde debe ponerse sobre la vocal más abierta, que ocupará, normalmente, el lugar central:

 santiguáis *averigüéis*

DOBLE ACENTUACIÓN

Los únicos casos de palabras que conservan dos acentos de intensidad son:

 · Los adverbios terminados en -mente: *comúnmente* *ágilmente* *simpáticamente*

 · Las palabras formadas por dos o más que no llevan tilde, cuando resulte un vocablo esdrújulo:

  espanta + lo: espántalo

  come + te + lo: cómetelo

GLOSARIO

a mano	(3)	adorno, el	(3)	alto(a)	(6)	apetecer	(4)
a propósito	(2)	aéreo(a)	(2)	altura, la	(2)	apetito, el	(3)
a través	(1)	aeropuerto, el	(3)	allá	(1)	apóstol, el	(2)
a veces	(2)	afectar	(6)	allí	(1)	aprobar	(3)
abaratar	(6)	afición, la	(11)	amargar	(11)	apropiado(a)	(12)
abarrotar	(1)	afirmar	(1)	ambicioso(a)	(9)	aprovechar	(2)
abierto(a)	(7)	afuera	(9)	ambiente, el	(12)	aproximadamente	(2)
abonar(se)	(13)	agarrar	(12)	amenaza, la	(6)	apuntar	(11)
abrir	(7)	agenda, la	(5)	amigo(a), el/la	(11)	aquí	(1)
absorber	(14)	agente, el/la	(2)	amistad, la	(3)	arado, el	(4)
aburrido(a)	(10)	agobiado(a)	(11)	amor, el	(3)	árbol, el	(2)
aburrimiento, el	(11)	agosteño(a)	(11)	analgésico, el	(6)	arreglar	(12)
acá	(1)	agotado(a)	(3)	análisis, el	(6)	artículo, el	(11)
acabar	(11)	agradable	(11)	anatomía, la	(5)	artista, el/la	(14)
acabar	(2)	agresivo(a)	(10)	andar	(8)	asegurar	(10)
acceder	(4)	agricultura, la	(5)	anemia, la	(6)	asesinar	(14)
accidente, el	(3)	agua, el	(3)	animado(a)	(2)	asfixiar	(14)
aceite, el	(15)	aguacero, el	(4)	animar	(15)	asiento, el	(2)
aceptar	(4)	aguantar	(7)	aniversario, el	(8)	asignatura, la	(3)
aclarar	(15)	agujero, el	(9)	anoche	(2)	aspecto, el	(11)
acompañar	(3)	ahora	(1)	antena, la	(7)	aspirina, la	(3)
acondicionado, aire	(9)	ahorrar	(3)	anterior	(2)	astronomía, la	(5)
aconsejar	(8)	ahorro, el	(9)	anterioridad	(2)	atasco, el	(4)
acordar(se)	(2)	aire, el	(9)	antes	(11)	atender	(1)
actor, el	(2)	aislado(a)	(10)	antiguo(a)	(2)	atontar	(13)
actriz, la	(2)	aislar	(13)	anunciar	(11)	atractivo(a)	(7)
actual	(6)	al frente	(11)	anuncio, el	(1)	atravesar	(2)
acuerdo,el	(1)	alarmista	(12)	año, el	(2)	atrever(se)	(7)
acusado(a)	(6)	alcohólico(a)	(3)	apagar	(3)	aumentar	(6)
adaptar	(15)	alegrar(se)	(7)	aparato, el	(3)	ausencia, la	(9)
adelgazar	(3)	alergia, la	(5)	aparcamiento, el	(13)	autobús, el	(1)
además	(2)	algún(o)(a)	(10)	aparcar	(2)	autónomo(a)	(11)
adivinar	(9)	alojamiento, el	(2)	apasionado(a)	(9)	avanzado(a)	(15)
adjunto(a)	(14)	alquilar	(2)	apático(a)	(9)	avión, el	(6)
adónde	(4)	alquiler, el	(2)	apenar	(7)	avisar	(6)

ayer	(3)	caer	(3)	circular	(12)	consumo, el	(12)
ayudar	(2)	café, el	(3)	circunstancia, la	(6)	contacto, el	(9)
azar, el	(4)	cajón, el	(2)	ciudad, la	(2)	contaminar	(12)
azúcar, el	(3)	caliente	(3)	civilizado(a)	(12)	contar	(1)
		calmante, el	(13)	claro(a)	(2)	contenedor, el	(12)
baile, el	(11)	calle, la	(2)	clase, la	(3)	contener	(1)
banco, el	(1)	cama, la	(4)	clausura, la	(9)	contentarse	(7)
bañar(se)	(8)	cambiar	(2)	coche, el	(1)	contento(a)	(14)
bar, el	(4)	camino, el	(1)	coger	(1)	contestador, el	(5)
barba, la	(9)	campo, el	(4)	colaborar	(12)	contestar	(2)
barco, el	(2)	canal, el	(4)	colar(se)	(12)	contexto	(2)
barrio, el	(2)	canal de pago, el	(13)	colegio, el	(9)	continuar	(4)
bastante	(4)	cáncer, el	(6)	color, el	(2)	contrario(a)	(11)
basura, la	(3)	canción, la	(4)	comentar	(6)	contratar	(10)
batata, la	(4)	cansado(a)	(3)	comer	(2)	contrato, el	(14)
batir	(15)	cansancio, el	(2)	comercial	(1)	control, el	(13)
beber	(2)	cantante, el/la	(2)	comienzo, el	(9)	conveniente	(7)
bebida, la	(3)	cántaro, el	(4)	cómodo(a)	(9)	convenir	(8)
beneficioso(a)	(15)	capacidad, la	(9)	compañero(a), el/la	(2)	conversación, la	(8)
berro, el	(4)	característica, la	(9)	comparable	(2)	convertir	(12)
besar	(7)	caracterizar	(6)	comparar	(13)	convocar	(1)
biblioteca, la	(8)	cariñoso(a)	(9)	compartido(a)	(13)	coordinar	(11)
bicicleta, la	(12)	carne, la	(3)	compartir	(10)	copa, la	(2)
bien	(2)	caro(a)	(12)	competencia, la	(9)	copia, la	(5)
billete, el	(1)	carrera, la	(2)	completar	(1)	copiar	(3)
biodegradable	(14)	carrete, el	(3)	completo(a)	(9)	cordial	(2)
blanco, el	(4)	carretera, la	(2)	complicar	(13)	cordillera, la	(2)
boca, la	(9)	carril, el	(12)	comportamiento, el	(15)	corregir	(2)
boda, la	(8)	carro, el	(2)	compra, la	(2)	correo, el	(2)
boleto, el	(4)	carta, la	(5)	comprar	(1)	correr	(10)
bolsa, la	(5)	cartelera, la	(5)	comprender	(14)	corresponder	(1)
bolso, el	(1)	cartera, la	(8)	comprobar	(6)	correspondiente	(3)
bombardear	(13)	cartero, el	(1)	comunicar	(2)	corrida, la	(9)
bonito(a)	(2)	casa, la	(1)	concentrar	(13)	cortar	(1)
borde, el	(2)	casado(a)	(9)	concierto, el	(4)	cosa, la	(3)
bosque, el	(9)	casar(se)	(2)	concursante, el/la	(9)	cosecha, la	(4)
botella, la	(9)	catarro, el	(6)	conducir	(2)	costa, la	(2)
bricolage, el	(5)	catear	(3)	conectar	(4)	creativo(a)	(9)
brillante	(13)	catedral, la	(2)	confesar	(6)	creer	(2)
brillo, el	(2)	causa, la	(12)	confirmar	(8)	crisis, la	(6)
brindar	(15)	causado(a)	(6)	confusión, la	(8)	cristal, el	(7)
bronceador, el	(15)	celebrar	(3)	conmoción, la	(2)	crítica, la	(7)
bruto(a)	(12)	céntrico(a)	(9)	conocer	(5)	criticar	(13)
bueno(a)	(1)	centro, el	(4)	conocido(a)	(11)	cruelmente	(14)
burocracia, la	(8)	cerca	(2)	consecuencia, la	(13)	cruzar	(12)
buscar	(1)	cereal, el	(9)	conseguir	(7)	cuándo	(1)
		cerrado(a)	(4)	consejo, el	(2)	cuánto	(3)
caballo, el	(9)	cerrar	(2)	conserjería, la	(7)	cuarto de baño, el	(9)
cabeza, la	(10)	certificado(a)	(4)	considerar	(6)	cucharada, la	(4)
cabezota, el/la	(5)	cerveza, la	(9)	constituir	(2)	cuenta, la	(2)
cable, el	(4)	cielo, el	(2)	construir	(9)	cuidar	(3)
cada	(1)	cierto(a)	(6)	consulta, la	(6)	culpa, la	(3)
cadena, la	(10)	cine, el	(2)	consultar	(5)	culto, el	(9)

culto(a)	(11)	descanso, el	(11)	don, el	(9)	entrevista, la	(4)
cumpleaños, el	(3)	desconocido(a)	(12)	doña	(3)	entristecer	(7)
cuñado(a), el/la	(8)	describir	(1)	dormido(a)	(10)	entusiasmar	(2)
curativo(a)	(6)	descubierto(a)	(10)	dormir	(2)	enviar	(2)
curiosidad	(1)	descuidar	(3)	dormitorio, el	(9)	envidia, la	(14)
curioso(a)	(7)	desde	(2)	droga, la	(12)	envolver	(3)
currículo, el	(9)	desear	(7)	ducha, la	(4)	equipaje, el	(6)
curso, el	(2)	deseo, el	(9)	duchar	(11)	equipo, el	(10)
chalé, el	(9)	desierto, el	(12)	duda, la	(14)	equivalente	(9)
chaqueta, la	(4)	desordenado(a)	(7)	dulce, el	(11)	equivocarse	(2)
charlar	(11)	despedida, la	(8)	durante	(2)	error, el	(7)
cheque, el	(2)	despedir	(13)			escoger	(10)
chico(a), el/la	(2)	despertador, el	(2)	economía, la	(5)	escribir	(1)
chimenea, la	(3)	después	(1)	echar(se)	(3)	escritor(a), el/la	(9)
chocolate, el	(3)	destinatario(a), el/la	(7)	edificio, el	(11)	escuchar	(3)
		destino, el	(11)	efecto, el	(5)	escultor(a), el/la	(2)
dar	(2)	destrozar	(5)	egoísta	(10)	escultura, la	(2)
darse cuenta	(11)	desvelar	(6)	ejemplificar	(1)	esencial	(7)
de acuerdo	(1)	detergente, el	(13)	ejercicio, el	(3)	espalda, la	(6)
de parte de	(1)	devolver	(1)	electricidad, la	(9)	espárrago, el	(9)
de repente	(2)	día, el	(1)	electrónico(a)	(2)	especial	(8)
de sobra	(9)	diario(a)	(1)	elegir	(2)	especializado(a)	(1)
debajo	(10)	dichoso(a)	(11)	embarazada, la	(13)	especializar	(1)
deber	(2)	dieta, la	(5)	embarazar	(5)	espectáculo, el	(2)
decidir	(2)	diferencia, la	(13)	emigrar	(15)	espectador(a), el/la	(13)
decir	(1)	diferente	(1)	empezar	(1)	esperar	(1)
declaración, la	(8)	difícil	(3)	empleado(a), el/la	(8)	espléndido(a)	(11)
declarar	(14)	dificultad, la	(10)	empollón(a), el/la	(3)	esquiar	(4)
decorar	(5)	dinámico(a)	(9)	empresa, la	(2)	esquina, la	(7)
dedicar	(10)	dinero, el	(1)	encantado(a)	(11)	estable	(9)
deducir	(6)	dinosaurio, el	(10)	encantar	(11)	estar	(1)
defender	(6)	director(a), el/la	(11)	enciclopedia, la	(1)	estar pendiente	(12)
defensor(a), el/la	(15)	dirigir	(2)	encima	(1)	estimado(a)	(2)
deforestación, la	(14)	discoteca, la	(13)	encoger	(3)	estimular	(5)
dejar	(1)	disculpar	(5)	encontrar	(1)	estrés, el	(9)
delgado(a)	(9)	discusión, la	(6)	enchufe, el	(4)	estropear	(9)
demasiado(a)	(1)	discutir	(13)	endulzar	(5)	estudiante, el/la	(2)
dentista, el/la	(10)	disparate, el	(7)	energía, la	(13)	estudiantil	(9)
dentro	(7)	disponer	(4)	enfadado(a)	(1)	estudiar	(4)
denunciar	(2)	disponibilidad, la	(9)	enfadar(se)	(3)	estudio, el	(1)
depender	(2)	distancia, la	(2)	enfático(a)	(1)	estupendo(a)	(7)
deportista, el/la	(13)	distinto(a)	(1)	enfermedad, la	(6)	etiqueta, la	(3)
deportivo, el	(7)	distraer	(5)	enfermo(a), el/la	(4)	evidente	(6)
depositar	(12)	divertido(a)	(9)	enfrentamiento, el	(15)	evitar	(3)
depresión, la	(10)	divorciado(a)	(9)	engordar	(1)	exagerado(a)	(3)
deprimido(a)	(1)	doble	(7)	enorme	(2)	exagerar	(6)
deprimir	(6)	doctor(a), el/la	(6)	enseñar	(3)	examen, el	(3)
derecho, el	(15)	doctorado, el	(2)	entender	(3)	excelente	(2)
derecho(a)	(2)	documento, el	(1)	enterar	(11)	excusa, la	(13)
derrota, la	(6)	doler	(6)	entero(a)	(12)	exigencia, la	(2)
desahogar	(5)	dolor, el	(6)	entonces	(11)	existir	(13)
desastre, el	(7)	doméstico(a)	(14)	entrada, la	(1)	éxito, el	(3)
descansar	(6)	domingo, el	(1)	entregar	(5)	expectativa, la	(13)

experiencia, la	(2)	frase, la	(9)	hermano(a), el/la	(3)	información, la	(12)
experto(a), el/la	(12)	frecuente	(4)	hierro, el	(6)	informar	(5)
explicar	(1)	freir	(9)	higiene, la	(13)	informativo(a)	(2)
explicativo(a)	(9)	fresa, la	(4)	hijo(a), el/la	(3)	informe, el	(2)
exportación, la	(2)	frigorífico, el	(2)	histérico(a)	(7)	ingeniería, la	(2)
expresar	(7)	frío, el	(13)	historia, la	(1)	ingrediente, el	(9)
expresión, la	(9)	frío(a)	(3)	hoja, la	(4)	iniciar	(12)
externo(a)	(6)	fruta, la	(5)	hombre, el	(7)	injusto(a)	(7)
extranjero, el	(2)	fumar	(3)	honor, el	(2)	inolvidable	(2)
extrañar	(7)	funcionar	(3)	hora, la	(1)	inoportuno(a)	(3)
extrañeza, la	(12)	fútbol, el	(3)	horno, el	(3)	insomnio, el	(3)
extraño(a)	(7)	futuro, el	(12)	horrible	(2)	insoportable	(15)
extraordinario(a)	(14)			horroroso(a)	(7)	inspección, la	(11)
extrovertido(a)	(10)	ganar	(15)	hospital, el	(4)	instalación, la	(3)
		ganas, las	(7)	hostelería, la	(2)	insultar	(5)
fabuloso(a)	(4)	garantizado(a)	(9)	hotel, el	(2)	inteligente	(10)
facciones, las	(5)	gas, el	(3)	hoy	(1)	intentar	(2)
fácil	(7)	gasolina, la	(12)	humor, el	(3)	interés, el	(12)
facultad, la	(4)	gastar	(3)			interesado(a)	(10)
falta, la	(2)	gato(a), el/la	(12)	idea, la	(2)	interesante	(1)
faltar	(6)	gemelos, los	(8)	idealista	(9)	interesar	(1)
familia, la	(3)	género, el	(9)	idioma, el	(12)	introducir	(8)
famoso(a)	(2)	generoso(a)	(9)	igual	(4)	introvertido(a)	(9)
farmacia, la	(5)	gente, la	(1)	igualdad, la	(12)	intuir	(6)
fastidiar	(1)	genuino(a)	(2)	iluminación, la	(13)	inútil	(7)
fatal	(2)	gimnasio, el	(13)	ilustración, la	(3)	invadir	(13)
favorito(a)	(2)	gobernante, el	(11)	imaginar(se)	(2)	invierno, el	(10)
felicitar	(3)	golf, el	(6)	impaciente	(10)	invitado(a)	(6)
feliz	(5)	gordo(a)	(3)	impedir	(8)	invitar	(4)
fenomenal	(12)	gorro, el	(8)	impensable	(4)	ir	(1)
feo(a)	(5)	gotear	(12)	importación, la	(2)		
feria, la	(13)	grabar	(2)	importante	(2)	jefe, el	(7)
fiebre, la	(4)	gracias, las	(1)	importar	(1)	jugar	(5)
fiesta, la	(1)	gramatical	(9)	imposible	(7)	juntos(as)	(12)
fijar	(1)	grande	(2)	imprescindible	(3)	justificar	(12)
fila, la	(3)	grifo, el	(12)	impresionante	(2)	justo(a)	(7)
filtrar	(2)	gritar	(10)	impresora, la	(4)	juzgar	(13)
fin, el	(10)	gruñón, el	(14)	improbable	(7)		
final, el	(11)	grupo, el	(11)	imprudente	(3)	kilo, el	(6)
finanzas, las	(14)	guapo(a)	(7)	impulsivo(a)	(9)	kilómetro, el	(1)
finca, la	(9)	guardar	(5)	incluso	(2)		
fin de semana	(1)	guerra, la	(11)	incómodo(a)	(13)	lamentar	(6)
fiscal, el/la	(8)	gustar	(1)	incompetente	(15)	lanzar	(14)
flexible	(6)	haber	(1)	increíble	(1)	largo(a)	(8)
flor, la	(8)	habitación, la	(10)	indicar	(3)	larguísimo(a)	(15)
fluidez, la	(8)	habitual	(2)	indiscutible	(6)	laurel, el	(2)
foca, la	(3)	hablante, el/la	(14)	indispensable	(7)	lavar	(3)
folleto, el	(2)	hablar	(3)	indudable	(6)	leer	(1)
fondo, el	(2)	hacer	(3)	industrial	(2)	legalizar	(12)
forma, la	(2)	hambre, el	(13)	inepto(a)	(15)	lengua, la	(2)
foto, la	(1)	hartar	(12)	inestable	(2)	levantar(se)	(9)
fotocopia, la	(2)	hasta	(2)	infierno, el	(15)	leyenda, la	(2)
fotógrafo, el/la	(2)	helado, el	(15)	influir	(13)	liar	(11)

libro, el	(3)	marca, la	(13)	montón, el	(1)	observar	(6)
licenciatura, la	(9)	marchar	(12)	monumento, el	(2)	obvio	(6)
licuadora, la	(9)	marido, el	(13)	morir	(2)	ocurrir	(3)
limón, el	(13)	matar	(8)	mosca, la	(5)	odiar	(9)
limpio(a)	(3)	matiz, el	(2)	motivación, la	(9)	oferta, la	(1)
línea, la	(2)	matrícula, la	(2)	motivo, el	(2)	oficina, la	(1)
listo(a)	(6)	matrimonio, el	(14)	motocicleta, la	(8)	ofrecer	(14)
literalmente	(1)	mayor	(11)	móvil	(2)	oír	(1)
locutor(a), el/la	(12)	mayoría, la	(2)	muchísimo(a)	(11)	ojo, el	(7)
lógico(a)	(7)	mayoritariamente	(9)	mucho(a)	(11)	olor, el	(2)
lograr	(8)	medianoche, la	(6)	mudar	(9)	olvidado(a)	(15)
loro, el	(14)	médicamente	(13)	muerto(a)	(2)	olvidar	(2)
lotería, la	(4)	médico, el	(5)	mujer, la	(1)	ópera, la	(2)
lucidez, la	(13)	medida, la	(12)	multa, la	(3)	operar	(4)
luchar	(6)	medieval	(2)	mundo, el	(4)	opinar	(6)
luego	(5)	medio ambiente, el	(12)	museo, el	(2)	opinión, la	(5)
lugar, el	(9)	mediodía, el	(15)	música, la	(5)	oportunidad, la	(12)
lunes, el	(1)	medir	(2)	musical	(2)	optimista	(9)
		mejor	(1)			ordenador, el	(1)
llamada, la	(6)	mejorar	(5)	nacer	(1)	ordenar	(8)
llamar	(1)	mencionar	(6)	nadar	(12)	organismo, el	(6)
llanura, la	(4)	menos	(11)	nadie	(2)	organización, la	(13)
llave, la	(2)	mensaje, el	(5)	naranja, la	(13)	organizar	(10)
llegar	(3)	mental	(13)	narrar	(2)	origen, el	(14)
llenar	(11)	merecer	(6)	nativo(a)	(13)	original	(2)
lleno(a)	(4)	mes, el	(1)	naturaleza, la	(11)	oscurecer	(9)
llevar	(1)	mesa, la	(1)	naturista, el/la	(13)	oxígeno, el	(12)
llover	(2)	meteorológico(a)	(1)	navegar	(4)		
lluvia, la	(12)	meter	(3)	necesario(a)	(7)	paciencia, la	(7)
lluvioso(a)	(2)	metro, el	(2)	necesitar	(5)	paciente	(9)
		micrófono, el	(4)	negación, la	(1)	padre, el	(2)
madre, la	(3)	miedo, el	(11)	negar	(8)	pagado(a)	(11)
madrileño(a)	(2)	miel, la	(4)	negocio, el	(6)	pagar	(11)
madrugada, la	(2)	mientras	(1)	negro(a)	(8)	página, la	(1)
mágico(a)	(15)	millonario(a), el/la	(11)	nervio, el	(8)	país, el	(2)
magnífico(a)	(2)	mínimo(a)	(4)	nervioso(a)	(5)	pájaro, el	(12)
mago(a), el/la	(15)	minuto, el	(1)	nieve, la	(2)	palabra, la	(3)
majo(a)	(6)	mirar	(1)	niño(a), el/la	(2)	palacio, el	(2)
maleducado(a)	(7)	mismo(a)	(11)	nombrar	(5)	pantalón, el	(4)
maleta, la	(3)	moda, la	(13)	normal	(3)	pantalla, la	(1)
malísimo(a)	(2)	modelo, el/la	(11)	normalidad, la	(10)	papelillo, el	(7)
malo(a)	(3)	módem, el	(4)	normalmente	(3)	paquete, el	(1)
mandar	(2)	moderación, la	(13)	norte, el	(15)	parar	(7)
manejar	(2)	moderno(a)	(2)	nota, la	(15)	parecer	(3)
manera, la	(9)	mojado(a)	(2)	notar	(2)	pareja, la	(7)
manipular	(13)	mojarse	(2)	noticia, la	(3)	parque, el	(2)
mano, la	(9)	molestar	(5)	nube, la	(2)	parte, la	(1)
mantener	(3)	momento, el	(1)	nuboso(a)	(1)	pasado(a)	(1)
manzana, la	(1)	monitor, el	(4)	nuclear	(2)	pasajero(a), el/la	(2)
mañana, la	(2)	mono(a), el/la	(9)	número, el	(1)	pasaporte, el	(2)
mar, el	(2)	montaña, la	(2)	nunca	(1)	pasar	(1)
maravilla, la	(8)	montañismo, el	(11)			paseo, el	(2)
maravilloso(a)	(2)	montar	(9)	obra, la	(1)	paso, el	(6)

paso (de cebra)	(1)	posiblemente	(1)	puntual	(4)	requisito, el	(9)
pedir	(5)	positivo(a)	(11)			resaca, la	(2)
película, la	(7)	postal, la	(2)	quedar	(4)	reserva, la	(4)
peligro, el	(13)	pragmático(a)	(9)	quemar	(2)	reservado(a)	(7)
pelo, el	(1)	precio, el	(6)	querer	(1)	reservar	(1)
pellas, hacer	(3)	preferir	(4)	queso, el	(4)	resfriado(a)	(3)
permitir	(8)	pregunta, la	(8)	quitar	(7)	resguardo, el	(3)
pena, la	(2)	preguntar	(1)			residencia, la	(2)
penetrante	(2)	premio, el	(9)	radio, la	(11)	resignarse	(7)
pensar	(2)	prensa, la	(1)	rápido(a)	(5)	resistir	(13)
pensión, la	(8)	preocupado(a)	(1)	raro(a)	(7)	resolver	(13)
peor	(7)	preocupar(se)	(1)	rato, el	(4)	respetar	(2)
pequeño(a)	(1)	preparar	(1)	ratón, el	(4)	respirar	(3)
percibir	(6)	presencia, la	(9)	ratonera, la	(15)	respiratorio	(6)
perder	(2)	presentar	(7)	razón, la	(1)	resplandor, el	(2)
perder(se)	(9)	presidente(a), el/la	(12)	realidad, la	(1)	responder	(6)
perdido(a)	(8)	prestado(a)	(13)	realizar	(9)	respuesta, la	(9)
perdonar	(14)	préstamo, el	(1)	realmente	(3)	restaurante, el	(5)
perezoso(a)	(10)	presumido(a)	(9)	recado, el	(1)	resto, el	(2)
periódico, el	(1)	presupuesto, el	(1)	recetar	(6)	resultado, el	(6)
permanecer	(1)	prevenir	(6)	recibir	(2)	resultar	(5)
perro(a), el/la	(3)	previo(a)	(11)	recientemente	(9)	reunido(a)	(15)
persona, la	(4)	previsto(a)	(13)	reclamar	(5)	reunión, la	(1)
personal	(2)	primaveral	(6)	recoger	(1)	revelar	(5)
personalidad	(10)	primer(o)(a)	(2)	recomendable	(13)	revisar	(3)
pescado, el	(4)	primo(a), el/la	(7)	recomendar	(8)	revista, la	(10)
piel, la	(6)	principio, el	(2)	reconocer	(13)	ridículo(a)	(7)
piloto, el/la	(4)	prisa, la	(2)	récord, el	(15)	río, el	(12)
pillar	(3)	probable	(7)	recordar	(2)	robo, el	(2)
pintar	(3)	probablemente	(4)	recuerdo, el	(2)	rodilla, la	(4)
piragüismo, el	(11)	problema, el	(2)	recuperar	(6)	roedor, el	(15)
piscina, la	(9)	proceso, el	(6)	rechazar	(12)	rogar	(8)
piso, el	(9)	producto, el	(13)	red, la	(2)	rojo(a)	(2)
pista	(1)	profesor(a), el/la	(3)	referencia, la	(1)	rollo, el	(13)
plan, el	(12)	programa, el	(8)	referir(se)	(1)	romper	(9)
planear	(11)	prohibir	(4)	reflexionar	(5)	ropa, la	(12)
planeta, el	(15)	pronóstico, el	(1)	regalar	(8)	ruido, el	(4)
planta, la	(3)	pronto	(2)	regar	(3)	rumbo, el	(2)
plato, el	(3)	propiciar	(6)	régimen, el	(5)		
playa, la	(1)	propietario(a), el/la	(10)	registrar	(6)	sábado, el	(1)
playero(a)	(11)	proponer	(14)	regresar	(11)	saber	(5)
poco(a)	(11)	provocar	(6)	regular	(3)	sacar	(1)
poder	(1)	próximo(a)	(1)	reír	(5)	salir	(1)
polémica, la	(9)	proyecto, el	(6)	rejilla, la	(3)	salud, la	(6)
político(a)	(1)	prudente	(2)	relación, la	(1)	saludo, el	(2)
política, la	(1)	psicólogo(a), el/la	(10)	relacionado(a)	(8)	salvar	(12)
polvo, el	(15)	psiquiatra, el/la	(11)	relajado(a)	(1)	sandalias, las	(7)
polvo, hecho	(2)	publicidad, la	(13)	religión, la	(3)	sangre, la	(6)
pomada, la	(6)	público, el	(7)	remedio, el	(5)	sano(a)	(12)
poner(se)	(1)	pueblo, el	(5)	renovar	(2)	satélite, el	(12)
portar	(10)	puerto, el	(2)	renta, la	(8)	satisfacer	(9)
portero(a), el/la	(2)	puesto, el	(2)	repetir	(6)	saturación, la	(9)
posible	(7)	punto, el	(2)	reproducir	(1)	secar	(3)

sección, la	(1)	sonreír	(11)	tiempo, el	(1)	variopinto(a)	(2)
seco(a)	(4)	soñar	(6)	tienda, la	(2)	varios(as)	(2)
secretario(a), el/la	(1)	soportar	(3)	tierra, la	(2)	vasco(a)	(2)
seducción, la	(9)	sorprendente	(7)	tila, la	(3)	vecino(a), el/la	(4)
seguir	(2)	sorprender	(1)	tilo, el	(2)	veintena	(2)
según	(1)	sorpresa, la	(2)	tinto, el	(4)	velocidad, la	(6)
segundo(a)	(3)	sorteo, el	(4)	tío(a), el/la	(2)	vencer	(13)
seguramente	(3)	sostener	(6)	tipo, el	(5)	vender	(1)
seguro(a)	(2)	subida, la	(2)	tirar	(3)	venir	(1)
seleccionar	(1)	subir	(3)	titulación, la	(9)	ventana, la	(1)
semáforo, el	(2)	suceder	(2)	titular, el/la	(1)	ventas, las	(14)
semana, la	(1)	sucio(a)	(12)	tiza, la	(5)	ver	(1)
sembrar	(4)	sueldo, el	(4)	tocar	(4)	veranear	(5)
sensato(a)	(10)	suelo, el	(14)	todavía	(2)	veraneo, el	(9)
sentar(se)	(2)	suerte, la	(5)	todo(a)	(5)	verano, el	(2)
sentido, el	(8)	suficiente	(4)	tomar	(2)	verbena, la	(11)
sentir	(1)	sugerir	(8)	tonto(a)	(12)	verdad, la	(2)
señalar	(3)	supermercado, el	(10)	toro, el	(9)	vergüenza, la	(3)
señor(a), el/la	(1)	suplicar	(8)	torrencial	(3)	vestido, el	(4)
señorita, la	(1)	suponer	(6)	trabajador(a), el/la	(9)	vestir	(2)
separar	(2)	supresión, la	(14)	trabajar	(3)	vez, la	(2)
sequía, la	(12)	sur, el	(4)	trabajo, el	(1)	viable	(6)
ser	(1)	surgir	(2)	traducción, la	(14)	viaje, el	(1)
serio(a)	(15)	suspender	(1)	traducir	(2)	víctima, la	(6)
servicio, el	(10)	sustituir	(9)	traductor(a), el/la	(10)	vida, la	(2)
servir	(2)	sustituto(a), el/la	(7)	traer	(1)	vídeo, el	(4)
siempre	(2)			tráfico, el	(2)	viejo(a), el/la	(8)
sierra, la	(5)	tabaco, el	(3)	trágico(a)	(14)	vigilante,el/la	(11)
siesta, la	(1)	taco, el	(5)	trampa, la	(15)	vino, el	(4)
siglo, el	(2)	taller, el	(1)	tranquilizar	(14)	virtual	(4)
siguiente	(1)	también	(3)	tranquilo(a)	(1)	virus, el	(12)
silencio, el	(11)	tampoco	(3)	transitado(a)	(12)	visión, la	(2)
simplemente	(2)	tapar	(3)	transporte, el	(4)	visitar	(2)
sin embargo	(4)	taquilla, la	(4)	trasladar	(2)	vital	(10)
sino	(12)	tardar	(1)	traslado, el	(15)	vitaminas, las	(5)
síntoma, el	(6)	tarde, la	(3)	transmitir	(1)	vivienda, la	(4)
sitio, el	(4)	tarjeta(de crédito)	(3)	tremendamente	(13)	vivir	(7)
situación, la	(8)	tarta, la	(10)	trigo, el	(4)	volver	(1)
situar	(11)	teatro, el	(2)	tristeza, la	(6)	vuelo, el	(1)
sixtillizo(a), el/la	(1)	teclado, el	(4)	tropezar	(13)	vuelta, la	(4)
sociable	(9)	tela, la	(15)	tumba, la	(5)		
social	(10)	telefónico(a), el/la	(6)			y	(1)
sofá, el	(9)	teléfono, el	(1)	últimamente	(1)	ya	(1)
sol, el	(2)	televisión, la	(10)	último(a)	(1)	yoga, el	(10)
soler	(1)	tema, el	(12)	urgente	(9)		
solicitar	(1)	temprano	(1)	usar	(9)	zapato, el	(9)
solidaridad, la	(3)	tendencia, la	(1)	útil	(7)	zumo, el	(9)
solo(a)	(2)	tener	(1)	utilizar	(3)	zurdo(a)	(9)
soltar	(14)	tener derecho	(15)				
soltero(a)	(2)	tensión, la	(6)	vacaciones, las	(1)		
solución, la	(1)	terminar	(2)	vacunar	(5)		
sonar	(3)	terraza, la	(2)	valiente	(9)		
sonido, el	(2)	ticket, el	(3)	vara, la	(15)		

NEUES MUSEUM

NEUES MUSEUM

FRIEDERIKE VON RAUCH | DAVID CHIPPERFIELD

Mit einem Interview mit David Chipperfield von Andres Lepik
und einem Text von Cristina Steingräber
With an interview with David Chipperfield by Andres Lepik
and an essay by Cristina Steingräber

FREUNDE DES NEUEN
MUSEUMS
Museumsinsel Berlin e.V.

DAVID CHIPPERFIELD IM GESPRÄCH MIT ANDRES LEPIK

NEUES MUSEUM, BERLIN

29. NOVEMBER 2008

ANDRES LEPIK: Es ist toll, mit Ihnen hier in der Treppenhalle zu sitzen. Wahrscheinlich erleben wir das Neue Museum gerade zum letzten Mal ohne große Besuchermengen.

DAVID CHIPPERFIELD: Für uns ist es sehr seltsam, dass sich das Haus langsam wieder wie ein Museum anfühlt, nachdem wir zehn Jahre lang an der Ruine gearbeitet haben und sehen konnten, wie sie nach und nach Form annahm. Jetzt, da sich alle Räume – die neuen, die zerstörten und die intakteren Räume – individuell entfalten, wirkt es, als verändere sich der Maßstab des Gebäudes. In den letzten Monaten haben wir zu verschiedenen Zeiten ganz unterschiedliche Stimmungen erlebt, und nun, da alles – beispielsweise die Böden – fertig ist, verändert sich die Atmosphäre noch einmal.

AL: Ich würde zu Beginn gerne über die Fotografien von Friederike von Rauch sprechen. Sie wurden gemacht, kurz bevor hier alles wieder aufgeräumt wird: Die Ruine ist verschwunden, die neuen Gebäudeteile sind nahezu fertiggestellt. Ich finde, dass das fast ein historischer Moment ist, der in diesen Fotografien festgehalten wird. Haben Sie auf den Bildern etwas entdeckt, das Sie vorher noch nicht gesehen haben?

DC: Zunächst einmal sind die Fotografien wunderschön und bestätigen, was wir alle empfinden: Das Gebäude besitzt eine große Schönheit, die Friederike von Rauch eingefangen hat. Wir haben hier besonders viel mit dem bestehenden Gebäude gearbeitet und deshalb unsere Aufmerksamkeit manchmal sehr stark auf die Oberflächen gerichtet. Wir mussten uns einen Raum nach dem anderen, ein Detail nach dem anderen vornehmen, und es war uns in diesem aufwendigen Prozess, in dem wir es oft nur mit Fragmenten zu tun hatten, wichtig, das Gesamtprojekt im Auge zu behalten. Wegen der Restaurierungsmaßnahmen und des Bauprozesses war es manchmal sehr schwierig, sich das Ganze vorzustellen; wir mussten oft stückweise vorgehen und durften nicht aus den Augen verlieren, was aus diesen einzelnen Stücken in der Gesamtheit werden sollte. Wenn wir uns nun das fertige Gebäude anschauen, stellen wir zufrieden fest, dass wir diese Gesamtheit erreicht haben. Es ist sehr interessant, durch Friederikes Aufnahmen wieder zu den Einzelteilen zurückzugelangen – wir haben so viel Zeit damit verbracht, die Einzelteile genauestens zu betrachten und gleichzeitig ein intellektuelles Rahmenwerk für das Gesamtprojekt zu bewahren. Es ist entspannend, diese Fotografien zu sehen, die innerhalb dieses Gesamtkonzeptes auf wunderschöne Weise eine Vorstellung von den individuellen Momenten und besonderen Zuständen vermitteln.

AL: Wie haben Sie den Entwurf für den Umbau des Neuen Museums entwickelt?

DC: Wir haben eine Reihe von Plänen und Ideen erarbeitet. 1997 haben wir mit dem Neuen Museum einen enormen baulichen Kontext übernommen, der zugleich traurig und schön war. Die Museumsruine existierte bereits seit über sechzig Jahren, in denen man aber nur versucht hatte, sie zu stabilisieren. Die Ruine war also nicht erst vor Kurzem, sondern bereits im Zweiten Weltkrieg entstanden, und darin lag auch unsere Verantwortung. Außerdem waren wir für das ursprüngliche Gebäude von Friedrich August Stüler verantwortlich. Wir waren der Auffassung, dass der Neubau, der Umbau des Neuen Museums sich auf diese beiden historischen Aspekte beziehen sollte: Stülers Bau, der gut dokumentiert ist, und die Ruine, die wir vorgefunden haben. Von Anfang an fanden wir, dass in diesem besonderen Fall, in dem die Zeit ein seltsames Denkmal hatte entstehen lassen, das weder Gebäude noch Ruine und doch beides zugleich war, eine Restaurierung, die auf eine historische Reproduktion abzielen würde – also ein kompletter Nachbau im Sinne der ursprünglichen Pläne –, inakzeptabel war. Natürlich wollten wir nicht die Ruine erhalten, es handelte sich ja nicht um eine archäologische Stätte wie Pompeji, die in ihrer Zerstörtheit bewahrt werden musste. Aber trotzdem wollten wir das noch vorhandene Originalmaterial nicht zerstören, da es unsere physische Verbindung zur Geschichte ist. Es ist keine Interpretation, es ist keine Projektion, es ist Realität: Das war unser Ausgangspunkt. Damit standen wir natürlich vor einer schwierigen Aufgabe. Wie stellt man ein vollständiges Gebäude wieder her – es war nicht unsere Absicht, die Beschädigungen zu verewigen – und beschützt trotzdem das restaurierte Original-material? In der Architektur ist dies natürlich schwieriger als in der Archäologie oder in der Malerei, wo eine solche Verfahrensweise normal ist und nicht infrage gestellt wird. Die Idee, die originale Form wiederherzustellen und die Auswirkungen der Schäden weniger sichtbar zu machen, ist die konventionelle Art, Gemälde und archäologische Artefakte zu restaurieren.

AL: Im Vergleich zum Berliner Schloss hatten Sie etwas einfachere Bedingungen, weil das Gebäude und seine Atmosphäre noch existierten, als Sie mit Ihrer Arbeit begannen. Außerdem erfüllt dieses Gebäude vorher und nachher die gleiche Aufgabe: Es war ein Museum und wird wieder ein Museum sein.

DC: Ich war Mitglied der Jury für das Berliner Schloss, und es war wirklich eine schwierige Aufgabe. In der letzten Runde stellten die Architekten, auch der Architekt, der schließlich ausgewählt wurde, Projekte unterschiedlichster Qualität vor und fanden kompetente und professionelle Lösungen. Aber die ihnen gestellte Aufgabe war bereits durch die Heftigkeit der Diskussion erschwert worden, in die sich Medien, Politik und Öffentlichkeit zu diesem Zeitpunkt eingemischt hatten. Es ist paradox, dass dieses außergewöhnliche Geschichtsinteresse in Deutschland und besonders in Berlin einerseits zu einer sehr interessanten und faszinierenden Diskussion und andererseits auch manchmal zu einer Stagnation führt. Beim Schloss handelt es sich um einen solchen Fall, bei dem die Umstände eine interessante architektonische Lösung sehr erschwert haben. Das ausgewählte Projekt zeigt wahrscheinlich, was unter diesen Umständen entstehen konnte. Mehrere Projekte haben unter solchen Bedingungen gelitten. Das ist vielleicht das Besondere an der deutschen und speziell an der Berliner Situation: Es gibt hier eine enorme Diskussionsbereitschaft. In England ist das anders, dort wird über diese Themen nicht genug geredet, und hier wird vielleicht zu viel darüber geredet. Ich glaube, die große Chance des Neuen Museums liegt darin, dass, obwohl es große Diskussionen gegeben hat – mit dem Generaldirektor der Staatlichen Museen zu Berlin, dem Präsidenten der Stiftung Preußischer Kulturbesitz, dem Denkmalamt, den Kuratoren, den Vertretern des Bundesamtes für Bauwesen und Raumordnung und anderen Experten –, diese große Gruppe von Leuten, die in den letzten zehn Jahren an diesem Prozess beteiligt waren, immer auf einem sehr hohen intellektuellen Niveau diskutiert hat, auch wenn die Meinungen teilweise stark auseinandergingen: Es war ein großes Vergnügen. Wenn die öffentliche Diskussion auch manchmal schwierig war, betrachte ich sie immer noch als einen positiven Umstand, weil sie dazu geführt hat, dass wir das Projekt immer wieder erklären mussten und an unsere Verantwortung erinnert wurden. Dieser Prozess war lange nicht so klaustrophobisch wie der, um den es beim Schloss geht. In vieler Hinsicht müssen wir froh sein, dass wir in der Lage waren, uns mit einer solch radikalen und klaren Idee im Rampenlicht der öffentlichen Meinung und Diskussion durchzusetzen.

AL: Seit Sie angefangen haben, am Neuen Museum zu arbeiten, haben Sie noch einige andere Wettbewerbe für Museumsbauten weltweit gewonnen. Hat Ihre Arbeit am Neuen Museum Einfluss darauf, wie Sie mit anderen Museumsprojekten umgehen?

DC: Die Arbeit am Neuen Museum, am neuen Eingangsgebäude und an der Galerie am Kupfergraben, die uns seit zehn Jahren beschäftigt, hat großen Einfluss auf unsere Art zu arbeiten und zu denken ausgeübt. Diese Arbeit hat einen enormen Teil unserer Leben eingenommen; mich hat sie sowohl beruflich als auch persönlich geprägt. Es ist nicht einfach festzustellen, wie weit dieser Einfluss reicht. Ich bin mir nicht sicher, ob sich das nur auf das Bauen von Museen beschränkt. Das Neue Museum ist so besonders, dass es eigentlich nur wenig mit unseren anderen Erfahrungen zu tun hat. Trotzdem denke ich, dass die Erfahrung, die man macht, wenn man so lange an einem einzelnen Projekt arbeitet, einen sehr großen Einfluss hat und uns sehr bereichert. Das liegt daran, dass man so intensiv mit dem physischen Material arbeitet und geschichtliche Aspekte sichtbar macht, während man manchmal zwischen gegensätzlichen Anliegen – seien es nun Bedenken der Kuratoren oder Sorgen der Restauratoren – vermitteln muss.

AL: Sie sind der letzte Architekt, der die Gelegenheit hat, im Herzen von Berlin – auf der Museumsinsel und in der direkten Nachbarschaft – drei Gebäude zu bauen. Karl Friedrich Schinkel baute das Alte Museum, Friedrich August Stüler das Neue Museum, Alfred Messel das Pergamonmuseum – jeder Architekt durfte ein Gebäude bauen. Sie haben das Neue Museum wieder aufgebaut, Sie werden das neue Eingangsgebäude zu den Museen der Museumsinsel bauen und haben bereits auf der anderen Spreeseite die Galerie am Kupfergraben fertiggestellt. Wie sehen Sie die städtebauliche Situation dieser Gegend?

DC: Ich glaube, dass unser Ansatz bei all diesen Projekten immer konsistent gewesen ist: Wir interessieren uns dafür, bestimmte Qualitäten, die zerbrochen und bloßgelegt wurden, wieder zu gewinnen oder zu vervollständigen, aber gleichzeitig versuchen wir auch, einen offenen und in die Zukunft gerichteten Weg zu finden. Dabei muss die »Gebrochenheit« Berlins und der Museumsinsel angesprochen werden, da sie uns nicht einfach nur dazu veranlassen sollte, das wieder aufzubauen, was zerstört worden ist. Trotzdem ist es auch wichtig, zu überlegen, wie man ein Gefühl der Vollständigkeit wiederherstellen kann. Wir wollen eine Balance zwischen bereits Bestehendem, dem Wiederaufbau und dem Erschaffung finden. Wenn also in drei Jahren das neue Eingangsgebäude fertiggestellt sein wird, hoffe ich, dass es gleichzeitig vertraut und doch ungewohnt ist; dass die drei neuen Gebäude eine Atmosphäre entstehen lassen, die einerseits harmonisch und in sich geschlossen ist, aber andererseits auch ein gewisses Unbehagen in sich birgt oder doch zumindest anregend wirkt, Bewusstsein schafft und Offenheit fordert: Die Tür sollte noch offen und nicht geschlossen sein.

AL: Wird der pittoreske Charakter des Gebäudes beeinflussen, wie die ausgestellten Objekte wahrgenommen werden? Wie wird der Besucher auf den Unterschied zwischen Objekt und Gebäude reagieren? Es gibt so viele Zeitschichten – die Objekte, das Gebäude und die Sanierung stammen alle aus anderen Zeiten. Dies alles ins Gleichgewicht zu bringen, muss schwierig sein.

DC: Das Gebäude hat dadurch, dass wir so intensiv daran gearbeitet und ihm so viel Bedeutung beigemessen haben – das sieht man, finde ich, auch in den Fotografien Friederike von Rauchs –, natürlich seine eigene Qualität entwickelt und besitzt jetzt fast die Präsenz eines Exponats. Natürlich muss es letztendlich seine Rolle als Hintergrund und nicht als Ausstellungsstück einnehmen. Wie sich diese beiden Aspekte miteinander verbinden lassen, werden wir wohl erst dann wissen, wenn die Objekte einziehen. Wir haben auch neue, sehr neutrale Räume geschaffen, in denen einige der wichtigsten Teile der Sammlung ausgestellt werden. Die Kuratoren der Sammlungen haben dabei berücksichtigt, dass manche Räume aufgrund ihrer originalen Ausstattung eine starke Präsenz haben, mit der man umgehen muss. In anderen Räumen ist die Integration einer Ausstellung leichter, und das haben wir bei der Anordnung der Sammlungen im Haus bedacht. Gemeinsam mit Michele De Lucchi und den Direktoren des Museums haben wir uns außerdem viel Mühe bei der Auswahl der Vitrinen gegeben. Alle Vitrinen haben Metallrahmen, die dem Objekt einen Kontext geben und eine Art Abgrenzung von Raum und Objekt erzeugen. Interessanterweise haben wir uns von Anfang an über die Beleuchtung und darüber, wo die Vitrinen aufgestellt werden, Gedanken gemacht. Das war nur möglich, weil die

Kuratoren und Direktoren des Museums sich ebenfalls ganz intensiv diesem Projekt gewidmet und ihre Vorstellungen und Bedenken hinsichtlich der Präsentation der Objekte im fertigen Gebäude mit uns diskutiert haben.

AL: Wie sehen Sie Ihr Konzept im Vergleich zu der historischen Idee, atmosphärische Räume zu schaffen?

DC: Diese Frage ist unvermeidbar, wenn man am Neuen Museum arbeitet, weil sein Konzept eine sehr intensive Verbindung von Raum und Exponat war: Der Ägyptische Hof war beispielsweise im ägyptischen Stil dekoriert. Diese Idee ist heute nicht mehr aktuell. Für uns ist das eine unpassende Vermengung von Kunst und Architektur, um einen Kontext für die Objekte zu schaffen, der dann selbst zum Exponat und Teil der Vermittlung dieser enzyklopädischen Präsentation von Kultur wird. Damit fühlen wir uns heute nicht mehr wohl. Übrigens wurden die ersten weißen Ausstellungsräume interessanterweise ausgerechnet in diesem Gebäude erfunden. Das Haus – vor allem der Ägyptische Hof und der Moderne Saal – war so überladen, dass man, als die Amarnafunde in den 1920er-Jahren ins Museum kamen, einige Räume weiß strich. Es gibt im Museum also eine recht eigenwillige Entwicklung von Raum als Kontext hin zu Raum als neutrale Präsenz. Das ist hier im Museum schon einmal geprobt worden, und jetzt wiederholen wir dieses Thema, indem wir versuchen, mit einem Gebäude umzugehen, das aus dieser Tradition der Kontextualisierung kommt, während wir heute vor solchen Konzepten zurückscheuen.

AL: Mir gefällt das, weil die Idee des White Cube als dem perfekten Museumsraum, wie man ihn sich im 20. Jahrhundert ausgedacht hat, langsam alle langweilt. Die Leute wollen ins Museum gehen, um Originale zu sehen. Und wenn sie dann auch noch wie hier die originale Architektur sehen können, werden sie mehrere Schichten wahrnehmen, und das Gebäude selbst wird zum Ausstellungsstück. Deshalb ist es wichtig, den historischen Rahmen des Gebäudes und seine Ausstattung zu bewahren.

DC: Es ist richtig, dass uns die Präsentation von Exponaten in einem neutralen Raum immer noch leichter fällt. Bei Malerei und besonders bei zeitgenössischer Malerei würden wir eher Abstand davon nehmen, durch die Architektur einen Kontext zu schaffen. Die Idee eines neutralen Raums als Reaktion auf die übertriebene Kontextualisierung und Ausstattung von Räumen hat dazu geführt, dass sehr künstliche und sterile Orte entstanden sind. Heute denken viele Museen, auch wenn sie nicht zum Stil des 19. Jahrhunderts zurückkehren und thematisch motivierte und überbordend dekorierte Räume schaffen werden, wieder darüber nach, wie man zu einer Architektur gelangt, deren Präsenz stark genug ist, die aber gleichzeitig auch nicht Gefahr läuft, die Objekte vollständig zu dominieren. Für mich ist die Beziehung zwischen der Präsenz des gebauten Raums und den ausgestellten Objekten ein sehr wichtiges Thema von Architektur und Museumsdesign. Natürlich hängt das von der Art der Exponate ab: Bei der Ausstellung von ethnologischen oder archäologischen Artefakten ergeben sich ganz andere Probleme als bei Kunst. Es ist viel üblicher anthropologische Exponate mit mehr Didaktik und stärkerer Kontextualisierung auszustellen als ein reines Kunstwerk, das keiner Erklärung seines historischen oder geografischen Kontextes bedarf.

DAVID CHIPPERFIELD IN CONVERSATION WITH ANDRES LEPIK

NEUES MUSEUM, BERLIN
NOVEMBER 29, 2008

ANDRES LEPIK: It's great sitting here with you in the Treppenhalle. This is probably one of the last times we'll experience the Neues Museum without a throng of visitors around.

DAVID CHIPPERFIELD: After ten years of working on the building, for us it's very strange, having seen it gradually take shape, to have arrived at a point where it is beginning to feel like a museum again. As the spaces develop their own qualities—the new ones, the broken ones, and those less broken—it seems like the scale of the building has changed. In recent months, we've experienced very different moods at different times, and as the finishing elements, such as the floors, are completed, the mood changes again.

AL: I would like to start our conversation by discussing the photos by Friederike von Rauch: they were taken just prior to everything being cleaned up; the ruin is gone, and all of the new parts of the building are approaching completion. I think this is a historic moment, and it is manifested in these photos. Do you see anything in the pictures you haven't seen before?

DC: I think that first of all, one has to say that the photographs are very beautiful and they confirm what we all feel— that there are moments of great beauty in the building, which Friederike has captured. In this project, we worked intensively with the existing building, so our attention was often focused on the surfaces. Our reaction had to be to proceed room by room, piece by piece, and our concern throughout this elaborate process of dealing with fragments was to continuously maintain a sense of the whole. This was sometimes very difficult due to the restoration method and the construction process, so we often went from one piece to another, trying to keep in mind what these pieces would eventually add up to. Now, when we look at the completed building, we're satisfied that this whole has been achieved. It's very interesting, however, to go back to the pieces through Friederike's photographs—we spent so much time examining them while maintaining a sort of intellectual framework for the whole. It's quite relaxing now to see these pictures, which beautifully convey the individual moments and specific conditions within the overall concept.

AL: How did you arrive at your vision for rebuilding the Neues Museum?

DC: We worked with a number of strategies and ideas. In 1997, we inherited the enormous physical context of what re-mained of the Neues Museum. There was something both sad and beautiful about it. It had stood there for some sixty years with only few attempts at stabilization, not the result of a recent action, but of one that occurred during World War II. This was one of our responsibilities. Another responsibility was obviously taking account of the original building by Friedrich August Stüler. We believed that the new Neues Museum building should be based on these two historical factors: Stüler's original building, which was well documented, and the physical ruin that stood in place. We felt from the beginning that an approach of historical reconstruction—in other words, a complete rebuilding according to the original plans—was not appropriate in this particular situation, where time had created a strange monument that was neither building nor ruin, and yet both. Clearly, we were not maintaining relics; this was not an archaeological site, like Pompeii, to be protected in its destroyed state, but at the same time, we didn't want to spoil what remained of the original material. It's our physical connection to history—not an interpretation, not a projection, but reality. So this was our starting point. Of course, we were confronted with a difficult task—how to complete the building—because we were not interested in monumentalizing the damage, but rather in protecting the repaired original material. This is a strategy that is more difficult to implement in architecture than it is in archaeology or painting, where it is a very normal and undisputed approach. The idea of trying to restoring original form in order to conceal the effects of dam-age is a conventional restoration technique in these areas.

AL: Compared with the Berlin Schloss, the situation you had here was somewhat better, because the building and its spirit still existed when you began. Furthermore, the building's function was to be retained: this was a museum and would be a museum again.

DC: I sat on the jury for the Berliner Schloss and it was a difficult task. The architects in the final round, including the selected architect, presented projects of different qualities and responded to the question in a competent and professional manner. But the task the architects were confronted with was already confused by the intensity of the discussion, which by then had become over-contaminated by the involvement of the media, politicians, and public opinion. It's quite a paradox that while this extraordinary interest and projection of ideas and concerns about history and the role of history within Germany, specifically within Berlin, promote a discussion of such interest and fascination, they sometimes create a stalemate. I believe that the Schloss is one of those cases where the conditions have made it quite difficult for an interesting architectural solution to happen, and the selected project probably represents what can be realized under these conditions. I can think of a number of projects that have suffered in this way. I say it's a paradox, because I think that what is unique about the German—and specifically the Berlin—circumstances is that there is such willingness and enthusiasm to discuss these issues. This is in stark contrast to the Anglo Saxon condition, where such things don't get discussed enough. It might be that here, they're discussed too much. I think that the great chance of the Neues Museum lay in the fact that while we experienced an incredible and controversial debate at a very high level—the general director, the president of the Stiftung, the Denkmalamt, curators, the BBR, as well as other experts were involved—it was always carried out with remarkable intelligence and sophistication, a process that was an absolute joy. While the public discussion has at times been difficult, I still regard this as positive, as it has forced us to explain the project continuously, reminding us of our responsibilities. This process, however, was not quite as claustrophobic as that involving the Schloss, and in many ways I think we can be very happy that we've been able to pursue such a radical and articulated idea in the spotlight of public opinion and public debate.

AL: Since you started work on the Neues Museum, you've won other competitions for museums around the world. Do you think that your work on the Neues Museum has influenced the way you approach other museum projects?

DC: I think that the work on the Neues Museum, the new entrance building, and the gallery building on Kupfergraben over these past ten years has had a profound effect on the way we work and the way we think. It has been an enormous part of our lives, and of my professional and personal life. It's very difficult to analyze the extent of this influence. I'm not sure if it has an impact exclusively on museum projects, because this is a very unique situation—in some ways the Neues Museum is irrelevant to so many of our other experiences. However, I think that working for such a long time on a single project and so closely with the physical fabric, and articulating ideas about history, negotiating at times between contrasting curatorial and restoration-related concerns, have had a profound influence on our work and contributed enormously to our experience.

AL: You are the last architect to have the opportunity of constructing three buildings here in the heart of Berlin, on the Museum Island, and in the immediate vicinity. Karl Friedrich Schinkel built the Altes Museum, Friedrich August Stüler the Neues Museum, and Alfred Messel the Pergamon Museum—one architect for each building. You rebuilt the Neues Museum, you will construct the new entrance to the Museum Island museums, and you have already completed the galleries on Kupfergraben across the Spree. What is your urban view of the area here as a whole?

DC: Our approach has been consistent throughout. We are interested in regaining and recompleting certain qualities that have been fractured and exposed, while at the same time attempting to find a way to achieve an openness and a direction toward the future. The broken condition of Berlin and the Museum Island is something that needs to be addressed, and this brokenness is a quality that should not necessarily inspire us to restore exactly what was lost. On the other hand, however, we should consider how we can intervene and return some sense of completeness. We want to try to find a balance between borrowing from and completing existing things and the creation of new ones. So when the new entrance building is completed in three years' time, I hope that there will be both a sense of familiarity and strangeness; that the Neues Museum, new entrance building, and even the gallery building at Kupfergraben create something that supplies a sense of comfort and completion, while containing a certain element of discomfort, or at least stimulus, awareness, and openness—the door should still be open, not closed.

AL: Will the picturesque quality of the building affect the perception of the objects inside—how will visitors react to the differences between the objects and the building? There are so many layers of time—the objects, the building, and the renovations all belong to a different time. This seems to be a very difficult balance to achieve.

DC: By approaching the project with such intensity and investing the building with such importance, it is true—and I think this is evident in Friederike von Rauch's photographs—that the building has taken on its own quality, its own nearly exponent presence, and of course in the end it has to assume the role not of exponent, but of background. How will these two things sit together? This is a question that will be answered when the objects are placed in the museum. We have created new spaces that are very neutral and which will contain some of the most important items in the collection. The curators of the exhibitions have taken into consideration the fact that certain rooms, because of their original design, have a very heavy presence, which has to be addressed. Others are easier to place exhibits in. We've also worked closely with Michele De Lucchi and the directors of the museum to consider the design of the vitrines—they all have metal frames, which creates a context for the object as well as a kind of separation between the space and the objects. Interestingly, we have considered the lighting and the location of display cases from the very first days of our work on the project. This was only possible thanks to the involvement and commitment of the museums, the curators, and the directors, who discussed their concerns and their ideas about how the objects will be placed within the finished building. So this is not something that we are considering now that the project nears completion—we've all been doing so all along.

AL: How do you view your presentation concept compared with the historic way of creating atmospheric spaces?

DC: There was an unavoidable task in dealing with the Neues Museum, as its concept was the intense connection between the objects and the spaces that contain them—the Egyptian room, for instance, was adorned with Egyptian decoration. This is no longer fashionable. We regard it as confusing to use artists and the architecture to somehow create a setting for the objects that is itself articulated and part of the communication of this encyclopedic presentation of culture, something we no longer feel comfortable with. Interestingly, the first white spaces were contained in this very building—the building, in particular the Egyptian spaces and the Moderner Saal, was so over-decorated, that when the Amarna collection was brought to the museum—I believe it was in the twenties—a number of the rooms were converted into white spaces to present these objects. So there is a very odd history associated with the building, where the dialogue has changed from the space as a contextualizing presentation to the space as a neutral presence. This was rehearsed once before in this museum, and of course now we are repeating it, trying to deal with a building that has a tradition of contextualization at a time when we are shy of such concepts.

AL: I like this, because the twentieth-century idea of the "white cube" as the perfect space for a museum is getting boring. People want to go to a museum to see originals. And if they also encounter the original architecture, like they can here, they will perceive more layers with the building itself an object. It is therefore important to preserve the historic framework of the building and its decoration.

DC: It's true that the neutral space remains the space in which we find it easier to present exponents. In terms of paintings, in particular contemporary paintings, then we tend to turn away from the notion of contextualizing through the architectural environment. The idea of the neutral space as a reaction to the over-contextualizing and over-decoration of spaces has produced a certain synthetic and sterile environment, and I think that many museums are now reexamining it. While they are not necessarily returning to the nineteenth-century notion of the decoration and elaboration of spaces specific to the items being exhibited, they are trying to discover a presence of architecture that is sufficiently powerful but at the same time does not threaten or overpower the individual work. So I believe that the presence of the architectural space in relation to the exponents on display is a very interesting dialogue for architecture and museum design. This will obviously vary depending on the type of exponent—it is a very different problem with respect to ethnographic and archaeological objects than to the display of artwork. Clearly, it's much more accepted that anthropological exponents require more explanation and more contextualizing than does a very pure work of art, which does not need to be understood in terms of its historical or geographical context.

David Chipperfield, Andres Lepik, Treppenhalle

Mittelalterlicher Saal 2

Vaterländischer Saal 1

Dienerkammer 1

Ethnographischer Saal

Ägyptischer Hof 1

Grüner Saal

Treppenhalle 2

Niobidensaal 1   45

Westlicher Kunstkammersaal

Flachkuppelsaal

Östlicher Kunstkammersaal 1

Dienerkammer 3

Treppenhaus Nord

Römischer Saal 1

Östlicher Kunstkammersaal 2

EINE KLEINE EINFÜHRUNG ZUR GESCHICHTE DES NEUEN MUSEUMS

CRISTINA STEINGRÄBER

Über die Geschichte der Berliner Museumsinsel, Weltkulturerbe der UNESCO seit 1999, wurden bereits viele Bücher geschrieben. Wir wollen an dieser Stelle unseren Lesern einen kurzen Einblick in die Geschichte des historischen Ur-Standortes der Staatlichen Museen geben und damit auch einige Aspekte der einzigartigen Faszination, die dieser Ort seit nunmehr bald zwei Jahrhunderten ausübt, skizzieren. Zahllose Künstler und Architekten haben sich mit der Museumsinsel beschäftigt, Kunsthistoriker, Archäologen und Wissenschaftler aller Disziplinen sind von dem hier versammelten Wissen fasziniert, und Millionen von Besuchern strömen Jahr für Jahr in die Häuser, um die schier unerschöpflichen Schätze der Museen zu bewundern. Auf Initiative des Fördervereins Freunde des Neuen Museums war es der Berliner Fotografin Friederike von Rauch möglich, den Zustand des Neuen Museums, der letzten Kriegsruine auf der Insel, im baulichen Umbruch Ende 2008 künstlerisch festzuhalten. Dies geschah in enger Zusammenarbeit mit dem Londoner Architekturbüro David Chipperfield Architects, das seit 1997 mit dem Wiederaufbau des Museums betraut war.

Die im frühen 19. Jahrhundert geführten Freiheitskriege gegen Napoleon und die damit einhergehenden politischen Veränderungen in Deutschland führten unter Friedrich Wilhelm III. dazu, dass ein Umdenken hin zu einem Bildungsstaat stattfand – was auch dem Wunsch des Berliner Bürgertums entsprach. 1809 wurde die Berliner Universität gegründet und Wilhelm von Humboldt bereits ein Jahr später mit dem Aufbau einer Kunstsammlung für die Öffentlichkeit beauftragt. Dieses Vorhaben verzögerte sich jedoch durch die Befreiungskriege und ihre Folgen noch bis 1820 – dem Gründungsjahr der vom König eingesetzten Museumskommission. 1830 wurde dann mit dem Bau des Königlichen Museums am Lustgarten, dem heutigen Alten Museum, durch Karl Friederich Schinkel die uns heute so wohlbekannte und international beispiellose Museumsinsel begründet. Auf der Insel in der Mitte Berlins entstanden in einem Zeitraum von etwa einhundert Jahren fünf der beeindruckendsten Museen der ganzen Welt: das Alte Museum, das Neue Museum, die Alte Nationalgalerie, das Bode-Museum und das Pergamonmuseum. Die von verschiedenen Architekten entworfenen Museumsbauten verschmolzen im Laufe der Geschichte zu einem unvergleichbaren Gesamtkunstwerk. Als das Alte Museum im Jahre 1830 eröffnet wurde, war bereits offensichtlich, dass der im Museum zur Verfügung stehende Raum für die Archivierung und Präsentation der stetig wachsenden Sammlungen nicht ausreichen konnte. Parallel zur Eröffnung des Hauses wurde der erste Katalog der Gemälde, der damals schon eintausendzweihundert Werke umfasste, publiziert. Friedrich Wilhelm IV., der den Bau des Museums am Lustgarten als Kronprinz miterlebte und ab 1840 regierender König war, verschrieb sich in starker Zuneigung zu den Künsten und nahezu mit der Leidenschaft eines Künstlers der Fortsetzung der Museumsinsel und erließ kurzerhand, dass alle Museumsbelange in unmittelbare Beziehung zum König gesetzt wurden.

Bereits 1841 beauftragte Friedrich Wilhelm IV. den Schinkel-Schüler Friedrich August Stüler mit einem Gesamtplan für die zukünftige Entwicklung der Spreeinsel hinter dem Alten Museum als einer »Freistätte für Kunst und Wissenschaft« – es war der erste Masterplan der Museumsinsel, der im Grundsatz die weitere Entwicklung steuerte und verhinderte, dass das Gelände durch andere Funktionen besetzt wurde. Friedrich August Stüler wurde nach Schinkels Tod zum königlichen Bauberater berufen. Sein Plan sah eine weitläufige Anlage vor, die ein aus mehreren abwechslungsreich angeordneten Einzelgebäuden und Höfen bestehendes Kultur- und Wissenschaftsforum bildete. Der erste Schritt zur Realisierung des Großprojektes war die Errichtung des Neuen Museums durch Friedrich August Stüler selbst, das als Museum für die Sammlung der »Vaterländischen Altertümer«, die ägyptischen und vorderasiatischen Werke, das Kupferstichkabinett und die Objekte aus der Kunstkammer des Stadtschlosses vorgesehen war. Stüler plante hinter der Rückfront des Alten Museums Richtung Norden einen langgestreckten, schmalen Rechteckbau, der sich als Erweiterungsbau von Schinkels Museum sowohl diesem als auch der geplanten Gesamtlage äußerlich unterordnete. Obwohl das Alte Museum über dem Sockelgeschoss nur zwei Etagen aufwies, wurde das Neue Museum mit drei Ausstellungsgeschossen konzipiert und damit höher gebaut. So kam es schon zu den ersten strukturellen Problemen, weil das Neue Museum in Stülers Plänen als Erweiterung des Alten Museums geplant war und mit diesem baulich zusammengeführt werden sollte. So stellte sich die Aufgabe, eine sinnvolle Lösung für eine räumliche und inhaltliche Verbindung der beiden Museen zu finden. Stüler plante einen Brückenbau, der von der oberen Ausstellungsebene des Alten Museums zum Neuen Museum führte. Der in Schinkels Bau vorgegebene geschlossene Museumsrundgang war damit allerdings durchbrochen, und die Raumfolge wurde gestört: Die Besucher des Neuen Museums erreichten den schinkelschen Bau über eine Treppe an der Nordseite des Gebäudes, von der aus sie die Gemäldegalerie und die Antikensäle erreichen konnten. Von der östlichen Langseite des Neuen Museums plante Stüler einen quadratischen, von dorischen Säulenhallen umgebenen Hof. Mit den dorischen Säulenreihen wurde Stüler den romantischen und stimmungsvollen

Architekturvisionen seines Königs, dem »Romantiker auf dem Thron«, gerecht, die aber in der schlichten, sparsam dekorierten Fassadengestaltung weniger den Vorstellungen des Königs als dem Vorbild seines Lehrers Schinkel folgten. Die Fassade des Museums war durch eine helle sandsteinerne Außenhaut geprägt und durch lange Reihen von aufrecht stehenden Rechteckfenstern in drei Ausstellungsgeschosse horizontal gegliedert. Die von Berliner Bildhauern gefertigten Bauplastiken waren antiken Vorbildern in klassizistischer Form nachempfunden.

Doch bereits vor Baubeginn erwies sich auch bei dieser Baustelle der Baugrund – ähnlich wie schon beim Alten Museum – als äußerst problematisch. Um eine zuverlässige Tragfähigkeit des Fundamentes herzustellen, war hier ebenfalls eine Pfahlrostgründung nötig. Ein Jahr nach der Fundamentsicherung wurde 1843 der Grundstein gelegt, der Außenbau war bereits 1846 abgeschlossen, und trotz der Bauunterbrechung durch die Revolution von 1848 wurde das Museum 1859 eröffnet. Die Bauzeit für einen so großen Bau war für die damalige Zeit vergleichsweise kurz und wurde nur erreicht, weil hier nun für einen repräsentativen Museumsbau erstmals mit Dampfkraft und einer eigens dafür angelegten Eisenbahnlinie technisch neueste Methoden von vorgefertigten Eisentragkonstruktionen nach dem Vorbild des Industriebaus eingesetzt wurden.

Im Inneren bot das Neue Museum besonders durch die sich über alle drei Geschosse erstreckende zentrale Treppenhalle reich inszenierte, historisierende Raumwirkungen, die im Kontrast zur dezenteren Außengestaltung standen. Die große Eingangshalle mit der riesigen Treppenanlage war vom Erdgeschoss bis zum einsichtigen Dachstuhl offen und verband die auf beiden Seiten anschließenden Museumsflügel, die sich auf der Nordseite um den Ägyptischen Hof und im Süden um den Griechischen Hof gruppierten. Die besonders aufwendige Innenausstattung, an der die wichtigsten Maler des Berliner Spätklassizismus beteiligt waren, rief bei den Besuchern größtes Erstaunen und Begeisterung für eine bis dahin nicht gesehene Pracht hervor. Die Fertigstellung der bedeutenden Fresken im Treppenhaus durch Wilhelm von Kaulbach dauerte bis 1866 an. Die räumliche Anordnung der Sammlungen im Neuen Museum war ursprünglich so vorgesehen, dass im Erdgeschoss die ägyptischen und nordischen Altertümer sowie das »ethnographische Cabinet« präsentiert wurden; das gesamte Hauptgeschoss war den Gipsabgüssen nach antiken Statuen vorbehalten, und im oberen Geschoss befanden sich die Bestände des späteren Kupferstichkabinetts: die Sammlung der Handzeichnungen, Miniaturen und Kunstdrucke sowie eine Sammlung von Modellen mittelalterlicher Bauwerke.

Das Neue Museum wurde im Zweiten Weltkrieg schwer beschädigt und nahezu vollständig zerstört. Eine Vielzahl von Bomben wurde über der gesamten Museumsinsel abgeworfen und hinterließ eine trostlose Ruinenlandschaft. Bei einem Großangriff in der Nacht vom 23. auf den 24. November 1943 erlitt das Neue Museum die ersten schweren Schäden. Der Dachstuhl über dem Mittelbau brannte ab, und das Treppenhaus und die Kaulbach-Fresken wurden durch das Feuer komplett vernichtet. Bei einem weiteren Angriff am 3. Februar 1945 wurden der nordwestliche Gebäudeteil sowie der Brückenbau zwischen dem Altem und dem Neuem Museum zerstört.

Aufgrund des instabilen und schwierigen Baugrundes waren die Wiederaufbauarbeiten der Museumsinsel sehr problematisch, und auch wegen der Schwere seiner Zerstörung stand das Neue Museum an letzter Stelle der Wiederaufbaupläne. Erste konkrete denkmalpflegerische und bautechnische Überlegungen wurden in den 1970er-Jahren getroffen. Doch das Neue Museum blieb weiterhin vollkommen ungeschützt der Witterung ausgesetzt, bis der Wiederaufbau 1985 endlich durch die DDR-Regierung beschlossen wurde. 1986 wurden erste Notsicherungsmaßnahmen vorgenommen und ab 1989 die notwendige Ersatzgründung für die statische Sicherheit gewährleistet. Eine Notbedachung schützte das Gebäude erst von da an vor weiteren Witterungsschäden. 1989 fiel die Mauer, und 1990 begann die Zusammenführung der fast ein halbes Jahrhundert lang getrennten Sammlungen der Staatlichen Museen.

Das Neue Museum zählt als Bestandteil des Weltkulturerbes Berliner Museumsinsel zu einem der bedeutendsten Dokumente des Museumsbaus im 19. Jahrhundert, dessen teilzerstörte Innenausstattung eines der letzten Zeugnisse des Museumsbaus dieser Zeit in Deutschland ist. 1993 wurde ein »Beschränkter Internationaler Realisierungswettbewerb für die Planung der Wiederherstellung des Neuen Museums und der Errichtung von Ergänzungs- und Verbindungsbauten zur Zusammenführung der Archäologischen Sammlungen der Staatlichen Museum zu Berlin Stiftung Preußischer Kulturbesitz auf der Museumsinsel« ausgelobt, und bereits ein Jahr später wurde der italienische Architekt Giorgio Grassi als Sieger gekürt. Doch trotz langwierigen Modifizierungen seiner Planungen für eine sinnvolle Verknüpfung der archäologischen Sammlungen konnte kein Konsens zwischen dem ersten Preisträger und den Staatlichen Museen erreicht werden. So wurden 1997 die ersten fünf Preisträger aufgefordert, im Zuge eines Gutachterverfahrens ihre Pläne zum Wiederaufbau des Neuen Museums erneut zu präsentieren. David Chipperfield ging als Sieger hervor und konkretisierte innerhalb der nächsten drei Jahre seine Planungsgrundlagen: die Erarbeitung einer Restaurierungsstrategie für das Haus als gemeinsame Arbeitsgrundlage von Architekt, Denkmalpflegern und Museen, die Realisierung restauratorischer Sicherungsmaßnahmen an den Oberflächen und die Restaurierung einzelner Kunstwerke wie beispielsweise die des Frieses von Hermann Schievelbein oder der Skulpturengruppe in den Giebeln des Mittelrisalits. Im Jahr 2000 war die Entwurfsplanung abgeschlossen, und im Sommer 2001 wurde mit dem Wiederaufbau des Neuen Museums begonnen.

Im Rahmen des Masterplans Museumsinsel folgte der Wiederaufbau dem Konzept der ergänzenden Wiederherstellung: David Chipperfield entwickelte gemeinsam mit seinem Bauherrn, den Staatlichen Museen zu Berlin, eine Planung, die vorsieht, die zerstörten und fehlenden Gebäudeteile neu zu errichten, wobei auf eine Rekonstruktion der durch den Krieg verlorenen Innenausstattungen bewusst verzichtet wird, um die Spuren der Geschichte nicht zu verbergen. Die beschädigten Gebäudeteile wurden behutsam und erhaltend restauriert und wieder zu einem funktionsfähigen Museum vereint. Grundlage für diese langwierige und technisch extrem komplexe Wiederherstellung war ein umfangreiches denkmalpflegerisches Konzept, das die Rückkehr der Sammlung des Ägyptischen Museums und der Papyrussammlung sowie eines Teils der Sammlung des Museums für Vor- und Frühgeschichte vorsieht. Im Herbst 2009 werden die Sammlungen nun wieder ihr altes und zugleich neues Zuhause beziehen, und das Neue Museum wird sich damit einhundertfünfzig Jahre nach seiner Eröffnung und etwa fünfundsechzig Jahre nach seiner Zerstörung in neuem Glanz der Öffentlichkeit zeigen. Es wird ein einzigartiges Beispiel dafür sein, wie nur fragmentarisch erhaltene, historisch bedeutende Architektur des 19. Jahrhunderts für das 21. Jahrhundert und die Zukunft mit neuem Leben erfüllt werden kann.

A SHORT INTRODUCTION TO THE HISTORY OF THE NEUES MUSEUM

CRISTINA STEINGRÄBER

Numerous books have already been written about the history of the Berliner Museumsinsel (Museum Island Berlin), which was declared a UNESCO World Cultural Heritage Site in 1999. At this point, we would like to provide our readers brief insight into the background of the original site of the Staatliche Museen zu Berlin (National Museums in Berlin) and thus a sense of the unique fascination it has held for almost two centuries. Countless artists and architects have been involved with the Museumsinsel. Art historians, archaeologists, and scholars from all disciplines are intrigued by the knowledge that has been assembled here, and each year millions of visitors pour into the museums to admire the sheer inexhaustible treasures on display. In late 2008, an initiative by the Freunde des Neuen Museums (Friends of the Neues Museum) made it possible for the Berlin-based photographer Friederike von Rauch to take a series of photographs of the architectural transformation of the Neues Museum, the last war-ruin on the island. This took place in close collaboration with the London-based office of David Chipperfield Architects, which was entrusted with the reconstruction of the museum in 1997.

The Wars of Liberation against Napoleon in the early nineteenth century and the attendant political changes in Germany led, under Frederick William III, to the new concept of a Bildungsstaat (educational state)—which was also consistent with the wishes of Berlin's middle classes. The Berliner Universität (University of Berlin) was founded in 1809, and, a year later, Wilhelm von Humboldt was commissioned to assemble a public art collection. This enterprise was delayed, however, by the Wars of Liberation and their aftermath until 1820, when the king appointed the museum commission. The building of the Königliches Museum am Lustgarten (Royal Museum) by Karl Friedrich Schinkel in 1830, now the Altes Museum (Old Museum), marked the founding of what is today the prestigious and internationally unparalleled Museumsinsel. Over a period of about a hundred years, five of the most impressive museums anywhere in the world were erected on this island in the center of Berlin: the Altes Museum, the Neues Museum, the Alte Nationalgalerie (Old National Gallery), the Bode-Museum (Bode Museum), and the Pergamonmuseum (Pergamon Museum). In the course of history, these buildings designed by different architects have merged together to form an ensemble of incomparable artistic unity. When the Altes Museum was opened in 1830, it was already apparent that the amount of available space was not sufficient for the archiving and presentation of the constantly growing collections. The first catalogue of paintings, which at the time already numbered 1,200 works, was published concurrent with the opening.

Frederick William IV, who witnessed the building of the museum as crown prince and became reigning king in 1840, showed great enthusiasm for the arts, committing himself with virtually the passion of an artist to the development of the Museumsinsel, losing no time in placing all museum-related issues in direct relation to the king.

In 1841, he commissioned Friedrich August Stüler, a student of Schinkel, with the general plan to create a "sanctuary for the arts and sciences" on the island in the Spree River behind the Altes Museum—this was the first master plan for the Museumsinsel, which formed the basis for further developments and prevented the site from being used for other purposes. After Schinkel's death, Friedrich August Stüler was appointed Royal Architect. His plan envisaged a spacious complex comprised of several distinctly arranged individual buildings and courtyards that would create a forum for culture and science. The first step toward the realization of this major project was the building of the Neues Museum by Friedrich August Stüler himself, which was designed as a museum for the collection of "national antiquities," Egyptian and Near Eastern works, the collection of prints and drawings, and the objects from the Kunstkammer of the Stadtschloss (City Palace). At the back of the Altes Museum, running northward, Stüler planned an elongated rectangular building—as an extension to Schinkel's museum, it would be externally subordinated to this as well as the overall plan. Although the Altes Museum only extended two stories above its base, the Neues Museum was designed to have three exhibition floors, and was consequently built higher. This led to the first structural problems. The Neues Museum in Stüler's plans was intended as an extension to the Altes Museum to which it was supposed to be joined. This presented the problem of finding a logical way to connect the two museums, both spatially as well as thematically. Stüler planned a raised passageway leading from the upper exhibition level of the Altes Museum to the Neues Museum, but this interrupted the normal circuit of the museum established in Schinkel's building, destroying the sequence of rooms. Visitors to the Neues Museum entered the Schinkel building via a flight of stairs on the north side of the building, from where they could access the painting gallery and the halls of antiquities. Stüler planned a square courtyard surrounded by Doric porticoes from the long eastern side of the Neues Museum. With the rows of Doric columns, Stüler reflected the Romantic and atmospheric architectural vision of the king, the "Romantic on the throne," while the restrained, sparingly decorated façade tended to follow the example of his teacher, Schinkel. The front of the museum was characterized by a light sandstone and divided horizontally by long rows of upright rectangular windows into three exhibition floors. The decorative sculptures were produced by local sculptors and modeled on ancient exemplars in Classicistic form.

Before building began, however, the poor quality of the subsoil—as was also the case for the Altes Museum—proved highly problematic. In order to properly support the building's foundations, a pile structure was needed here as well. The cornerstone was laid in 1843, a year after securing the foundations. The main structure was finished in 1846, and despite the interruption to building caused by the Revolution of 1848, the museum was opened in 1859. The construction time for a building of this size was relatively short for the period and could only be achieved thanks to steam power and a railway line, the first time the latest methods of the prefabricated steel supporting structure borrowed from industrial architecture were used for the construction of a representative museum building.

On the inside, particularly in the central stair hall extending over all three levels, the Neues Museum offered a rich staging of historicizing spatial effects that contrasted strongly with the more restrained exterior. The great entrance hall with its enormous staircase was open from the ground floor to the exposed trusses under the roof, linking the two wings of the museum, which were arranged on the north side around the Ägyptischer Hof (Egyptian Courtyard) and in the south around the Griechischer Hof (Greek Courtyard). The particularly extravagant decoration of the interior, executed by the most important painters of the late Classicist period in Berlin, aroused a sense of amazement and enthusiasm in the visitors who found themselves confronted with previously unseen splendor. The completion of the major frescos in the staircase by Wilhelm von Kaulbach lasted until 1866. The arrangement of the collections in the Neues Museum was originally planned in such a way that the ground floor contained the Egyptian and Nordic antiquities as well as the "ethnographic cabinet." The entire main floor was reserved for the plaster casts of ancient statues, and the floor above it for the exhibits of what would later become the Kupferstichkabinett (Museum of Prints and Drawings): the collection of drawings, miniatures, and artists' prints, as well as a collection of models of medieval buildings.

The Neues Museum was badly damaged during World War II and almost completely destroyed. The Museumsinsel as a whole was severely bombed, leaving behind a desolate landscape of ruins. During a major offensive the night of November 23/24, 1943, the Neues Museum suffered its first serious losses. The roof trusses over the central part of the building were burned away, and the staircase with the Kaulbach frescos was completely destroyed by the ensuing fire. During a further raid on February 3, 1945, the northwest part of the building as well as the passage between the Altes and the Neues Museum were destroyed.

As already mentioned, the subsoil at the site was unstable, making reconstruction work on the Museumsinsel extremely problematic. The severity of its destruction put the Neues Museum last on the list in the plans for the redevelopment of the island. The first concrete conservational and structural steps were taken in the seventies, although the Neues Museum remained unprotected and entirely exposed to the weather until its restoration was finally decided by the German Democratic Republic government in 1985. Initial emergency measures were taken in 1986, and in 1989 the substitute foundation necessary to properly secure the building fabric began to be put in place. Only from this time on was the building protected by an emergency roof against further damage from the weather. The Berlin Wall fell in 1989, and 1990 saw the beginning of the gradual coordination of the collections of the Staatliche Museen zu Berlin, which had been separated for almost half a century.

As an integral part of the World Cultural Heritage Site of the Museumsinsel, the Neues Museum is one of the most important documents of nineteenth-century museum architecture; its partially destroyed interior is one of the last surviving witnesses to museum building of this period in Germany. In 1993, a "restricted international competition for the planning of the restoration of the Neues Museum and the erection of supplementary and connecting building elements to house the archaeological collections of the Staatliche Museen zu Berlin Stiftung Preussischer Kulturbesitz [Foundation of Prussian Cultural Heritage] on the Museumsinsel" was announced, and a year later, the Italian architect Giorgio Grassi was named as the winner. However, despite protracted modifications of his designs to create a logical connection between the archaeological collections, a consensus between the first prize winner and the Staatliche Museen could not be reached. Consequently, in 1997 the first five prizewinners were invited, as a gathering of specialists, to again present their plans for the restoration of the Neues Museum. David Chipperfield emerged as the winner, and over the next three years, he concretized the basic elements of his concept: the development of a strategy for the restoration of the building as a collaboration between architect, building conservators, and museums; the development of conservational measures for the building surfaces; and the restoration of individual works of art such as the frieze by Hermann

Schievelbein or the sculptural group in the pediments of the central risalit. The design was completed in 2000, and reconstruction of the Neues Museum began in the summer of 2001.

Within the framework of the Museum Island Master Plan, the rebuilding adhered to the concept of critical restoration. Together with his employers, the Staatliche Museen zu Berlin, David Chipperfield developed a design that envisages the rebuilding of the destroyed and missing parts of the building while rejecting a reconstruction of the interior elements lost through war in order to consciously avoid concealing the traces of history. The damaged parts of the building were carefully and thoroughly restored, and the building was transformed back into a functional museum. The starting point for this protracted and technically extremely complex restoration process was a broad conservational concept that envisions the return of the collection of the Ägyptisches Museum (Egyptian Museum) and the Papyrussammlung (Papyrus Collection) as well as a part of the collection of the Museum für Vor- und Frühgeschichte (Museum of Prehistory and Early History). In the fall of 2009, these collections will move back to their old and now new home so that 150 years after its opening and about sixty-five years after its destruction, the Neues Museum will be made accessible to the public again in all its renewed glory. It is set to become a unique example of how historically significant architecture of the nineteenth century that has only been fragmentarily preserved can nevertheless be revitalized for the twenty-first century and beyond.

DER FÖRDERVEREIN

FREUNDE DES NEUEN MUSEUMS
MUSEUMSINSEL BERLIN E. V.

Eine Faszination für die bewegte Geschichte des Neuen Museums, gepaart mit dem Wunsch, dem Bau seine ursprüngliche Pracht und Authentizität wiederzugeben, war Anstoß zur Gründung des Fördervereins Freunde des Neuen Museums Museumsinsel Berlin e. V. im Mai 2002. Im Gegensatz zu anderen Freundeskreisen, deren Aktivitäten sich hauptsächlich auf den Erwerb von Kunstwerken oder die Unterstützung von Ausstellungsprojekten richten, haben es sich die Freunde des Neuen Museums zur Aufgabe gemacht, die konservatorischen Arbeiten an Außenbau und Baustrukturen sowie die Instandsetzung der Innenstrukturen und historischen Räume im Neuen Museum finanziell zu fördern und dadurch die Wiedererstehung des Neuen Museums über die beschränkten Mittel der öffentlichen Träger hinaus aktiv voranzutreiben. Dabei hat der Verein bereits einige Erfolge vorzuweisen. So konnten beispielsweise mit seiner Unterstützung zwei im Zweiten Weltkrieg ausgelagerte und seitdem nicht mehr öffentlich zugängliche Kolossalstatuen antiker Götter umfangreich restauriert und mit aufwendigen Transportmaßnahmen wieder an ihren Standort im Neuen Museum zurückgebracht werden. Auch das Bildhauermodell des 1850 vollendeten Schievelbein-Frieses im Griechischen Hof, welcher den Untergang von Pompeji durch die Gewalt der Naturelemente zeigt und 1945 durch einen Granattreffer an der Ostwand des Gebäudes stark zerstört wurde, konnte mithilfe des Fördervereins den notwendigen Restaurierungsmaßnahmen unterzogen werden. Derzeit ermöglichen die Fördergelder des Vereins zudem die Reinigung und Restaurierung von Marmorbüsten aus den Kolonnaden und von zwei Hathorkapitellen, damit diese Werke zur Wiedereröffnung des Neuen Museums wieder an ihrem ursprünglichen Standort im Gebäude in altem Glanz erstrahlen. Durch die Förderung solcher Projekte will der ehrenamtlich tätige und gemeinnützige Verein bleibende Werte im Neuen Museum schaffen, aber auch Privatpersonen und Firmen die Möglichkeit geben, einen dauerhaften und sichtbaren Beitrag zu einer Renaissance der UNESCO-Welterbestätte Museumsinsel zu leisten und ihren eigenen Namen mit der nunmehr über einhundertfünfzigjährigen Geschichte des Neuen Museums zu verknüpfen.

SOCIETY OF THE

FREUNDE DES NEUEN MUSEUMS

MUSEUMSINSEL BERLIN E. V.

The society of the Freunde des Neuen Museums Museumsinsel Berlin e.V. (Friends of the Neues Museum–Museum Island Berlin e. V.) was founded in May 2002 in response to the fascination with the eventful history of the Neues Museum as well as to the desire to restore the building to its original splendor and authenticity. In contrast to the activities of other friends of museums, who are primarily concerned with acquiring works of art or supporting exhibition projects, the Freunde des Neuen Museums have set themselves the task of providing funding for the conservation of the exterior and structure of the building as well as for repairs to the museum's interior and historical spaces. By doing so, we want to actively encourage the restoration of the Neues Museum beyond the limited means available from public funds. In this respect, the society can already boast of several successes. With its help, for example, two colossal sculptures depicting ancient gods, which were put into storage during World War II and subsequently no longer accessible to the public, were extensively restored and transported at great expense to their location at the Neues Museum. Furthermore, necessary restoration work to the sculptural model of the Schievelbein frieze in the Griechischer Hof (Greek Courtyard)—completed in 1850, it depicts the destruction of Pompeii by force of nature—badly damaged by a shell that hit the eastern wall of the building in 1945, was carried out with the society's support. At present, money donated by the Freunde is also enabling the cleaning and reconstruction of the marble busts from the colonnades and two Hathor capitals, so that these works can again shine in their old glory and in their original positions in the building on the occasion of the reopening of the Neues Museum. Through their support for projects of this kind, this nonprofit society, made up of volunteers, wants to create objects of lasting value at the Neues Museum as well as give individuals and companies the opportunity to make a lasting and visible contribution to the renaissance of the Museum Island, a UNESCO World Heritage Site, and to link their own names with the now more than 150-year-old history of the Neues Museum.

DAVID CHIPPERFIELD ARCHITECTS

NEUES MUSEUM, 1997–2009

AUFTRAGGEBER:

Stiftung Preußischer Kulturbesitz vertreten vom Bundesamt für Bauwesen und Raumordnung

GESAMTGRUNDFLÄCHE: 20 500 m^2

ARCHITEKT: David Chipperfield Architects mit Julian Harrap

TRAGWERKSPLANUNG: Ingenieurgruppe Bauen

HAUSTECHNIK:

Jaeger, Mornhinweg und Partner Ingenieurgesellschaft; Kunst und Museumsschutz Beratungs- und Planungs- GmbH

LANDSCHAFTSARCHITEKT: Levin Monsigny Landschaftsarchitekten

LICHTPLANUNG: Kardorff Ingenieure Lichtplanung

AUSSTELLUNGSDESIGN: Architetto Michele De Lucchi S.r.L.

BAULEITUNG: lubic & woehrlin GmbH

PROJEKTCONTROLLING: Ernst & Young Real Estate GmbH

KOSTENPLANUNG: Nanna Fütterer

DAVID CHIPPERFIELD ARCHITECTS

NEUES MUSEUM, 1997–2009

CLIENT:

Stiftung Preußischer Kulturbesitz represented by the Bundesamt für Bauwesen und Raumordnung

GROSS FLOOR AREA: 20,500 m^2

ARCHITECT: David Chipperfield Architects with Julian Harrap

STRUCTURAL ENGINEER: Ingenieurgruppe Bauen

SERVICE ENGINEER:

Jaeger, Mornhinweg und Partner Ingenieurgesellschaft; Kunst und Museumsschutz
Beratungs- und Planungs- GmbH

LANDSCAPE ARCHITECT: Levin Monsigny Landschaftsarchitekten

LIGHTING CONSULTANT: Kardorff Ingenieure Lichtplanung

EXHIBITION DESIGN: Architetto Michele De Lucchi S.r.L.

SITE SUPERVISION: lubic & woehrlin GmbH

PROJECT CONTROLLING: Ernst & Young Real Estate GmbH

QUANTITY SURVEYOR: Nanna Fütterer

Dienerkammer 2

FRIEDERIKE VON RAUCH

Ich danke meiner Familie, meinen Freunden und Bekannten und allen Beteiligten für ihre Unterstützung!
Friederike von Rauch ist ein Mitglied von Piece of Cake (www.pocproject.com).

FRIEDERIKE VON RAUCH
* 1967
Lebt in Berlin

1987–1990 Ausbildung zur Silberschmiedin, Kaufbeuren
1992–1997 Industrial Design, Universität der Künste, Berlin

KÜNSTLERSTIPENDIEN
2008 Baer Art Center, Island
2007 The Dutch-Flemish Centre deBuren, Rotterdam
2006 The Dutch-Flemish Centre deBuren, Brüssel

EINZELAUSSTELLUNGEN (Auswahl)
2009
Friederike von Rauch, Kunstagenten, Berlin
New Work, Fifty One Fine Art Photography, Antwerpen
2008
Brussels, Kabinet van de Vlaamse minister van Cultuur, Brüssel
2007
90daysrotterdam, The Dutch-Flemish Centre deBuren, Brüssel
Brussels, Fifty One Fine Art Photography, Antwerpen

GRUPPENAUSSTELLUNGEN (Auswahl)
2008
Interiors, Fifty One Fine Art Photography, Antwerpen
Festival Voies Off des Rencontres d'Arles, Arles
51 Celebrates 8 Years, Fifty One Fine Art Photography, Antwerpen
2006
90daysbrussels, The Dutch-Flemish Centre deBuren, Brüssel
Été de la Photographie, Bozar, Brüssel
Golab Grande Show, Monat der Fotografie, Berlin

Talking Cities: The Micropolitics of Urban Space, Zeche Zollverein, Essen
2005
White on White, Liike Galerie, Berlin
Baukasten Berlin, Designmai, Berlin
2002
KunstWinter-Berlin, Berlin
1999
Lichtinstallation, Zumtobel Staff Showroom, mit Sauerbruch Hutton Architekten, Berlin

MESSEN (Auswahl)
2009
Art Brussels, Fifty One Fine Art Photography
2008
Paris Photo, Fifty One Fine Art Photography
2007
Art Cologne, Fifty One Fine Art Photography
Paris Photo, Fifty One Fine Art Photography
Photo London, Fifty One Fine Art Photography

BÜCHER UND EDITIONEN
2009
Collector's Edition *Village,* POC Project
Collector's Edition *Neues Museum,* Hatje Cantz
2007
Friederike von Rauch. Sites, hrsg. v. Andres Lepik, Hatje Cantz
Collector's Edition *Sites,* Hatje Cantz
Collector's Edition *51,* Fifty One Fine Art Photography
2003
32xberlin, lucks+vonrauch

Römischer Saal 2

FRIEDERIKE VON RAUCH

I would very much like to thank my family, friends, and everyone who assisted in the realization of this book for their support. Friederike von Rauch is a member of Piece of Cake Project (www.pocproject.com).

FRIEDERIKE VON RAUCH

* 1967

Lives in Berlin

1987–1990 Silversmithing apprenticeship, Kaufbeuren
1992–1997 Industrial Design, Universität der Künste, Berlin

ARTIST RESIDENCIES
2008 Baer Art Center, Iceland
2007 The Dutch-Flemish Centre deBuren, Rotterdam
2006 The Dutch-Flemish Centre deBuren, Brussels

SELECTED SOLO EXHIBITIONS
2009
Friederike von Rauch, Kunstagenten, Berlin
New Work, Fifty One Fine Art Photography, Antwerp
2008
Brussels, Kabinet van de Vlaamse minister van Cultuur, Brussels
2007
90daysrotterdam, The Dutch-Flemish Centre deBuren, Brussels
Brussels, Fifty One Fine Art Photography, Antwerp

SELECTED GROUP EXHIBITIONS
2008
Interiors, Fifty One Fine Art Photography, Antwerp
Festival Voies Off des Rencontres d'Arles, Arles
51 Celebrates 8 Years, Fifty One Fine Art Photography, Antwerp
2006
90daysbrussels, Dutch-Flemish Centre deBuren, Brussels
Été de la Photographie, Bozar, Brussels
Golab Grande Show, Monat der Fotografie, Berlin

Talking Cities: The Micropolitics of Urban Space, Zeche Zollverein, Essen
2005
White on White, Liike Galerie, Berlin
Baukasten Berlin, Designmai, Berlin
2002
KunstWinter-Berlin, Berlin
1999
Light Installation, Zumtobel Staff Showroom, with Sauerbruch Hutton Architects, Berlin

SELECTED FAIRS
2009
Art Brussels, Fifty One Fine Art Photography
2008
Paris Photo, Fifty One Fine Art Photography
2007
Art Cologne, Fifty One Fine Art Photography
Paris Photo, Fifty One Fine Art Photography
Photo London, Fifty One Fine Art Photography

BOOKS AND EDITIONS
2009
Collector's Edition *Village,* POC Project
Collector's Edition *Neues Museum,* Hatje Cantz
2007
Friederike von Rauch: Sites, ed. Andres Lepik, Hatje Cantz
Collector's Edition *Sites,* Hatje Cantz
Collector's Edition *51,* Fifty One Fine Art Photography
2003
32xberlin, lucks+vonrauch

HERAUSGEBER I EDITOR:
Andres Lepik für die I for the Freunde des Neuen Museums

KONZEPT I CONCEPT:
Cristina Steingräber, Julika Zimmermann

VERLAGSLEKTORAT I COPYEDITING:
Rebecca van Dyck, Julika Zimmermann

ÜBERSETZUNGEN I TRANSLATIONS:
Benjamin Carter, Sibylle Luig

TRANSKRIPTION INTERVIEW I INTERVIEW TRANSCRIPTION:
Sophie Westarp

GRAFISCHE GESTALTUNG UND REPRODUKTIONEN I
GRAPHIC DESIGN AND REPRODUCTIONS:
Cantz Medienmanagement, Büro Hamburg

SCHRIFT I TYPEFACE:
Trade Gothic LT

VERLAGSHERSTELLUNG I PRODUCTION:
Christine Emter

DRUCK I PRINTING:
Dr. Cantz'sche Druckerei, Ostfildern

PAPIER I PAPER:
Galaxi Supermat, 200 g/m^2

BUCHBINDEREI I BINDING:
Conzella Verlagsbuchbinderei, Urban Meister GmbH,
Aschheim-Dornach

Erschienen im I Published by
Hatje Cantz Verlag
Zeppelinstrasse 32
73760 Ostfildern
Deutschland I Germany
Tel. +49 711 4405-200
Fax +49 711 4405-220
www.hatjecantz.com

Es erscheint eine Collector's Edition. Nähere Informationen erhalten Sie beim Verlag. I A special collector's edition is available.
Please contact Hatje Cantz for more information.

Hatje Cantz books are available internationally at selected book-
stores. For more information about our distribution partners,
please visit our homepage at www.hatjecantz.com

ISBN 978-3-7757-2376-3

Printed in Germany

UMSCHLAGABBILDUNGEN I COVER ILLUSTRATIONS:
Westfassade, 2008 (vorne I front)
Niobidensaal 2, 2008 (hinten I back)

DANK I ACKNOWLEDGMENTS

Dieses Buch wurde Dank der großzügigen Unterstützung der
Freunde des Neues Museums Museumsinsel Berlin e.V. realisiert. I
This book was made possible by the generous support of Freunde
des Neuen Museums Museumsinsel Berlin e.V.

Des Weiteren danken wir I Furthermore we would like to thank:
Maren und I and Jochen Strüngmann
Martin Reichert für I for David Chipperfield Architects

Ina Gravenkamp
Frauke Hahn
Jörg Haspel
Gisela Holan
Dagmar Korbacher
Birte Kreft
Rik Nys
Renate Pöppel
Oliver Schäfer
Peter-Klaus Schuster